*DON GIOVANNI
OU O DISSOLUTO
ABSOLVIDO*

Obras do autor publicadas pela Companhia das Letras

O ano da morte de Ricardo Reis
A bagagem do viajante
Cadernos de Lanzarote
Cadernos de Lanzarote II
A caverna
O conto da ilha desconhecida
Don Giovanni ou O dissoluto absolvido
Ensaio sobre a cegueira
O Evangelho segundo Jesus Cristo
História do cerco de Lisboa
In Nomine Dei
A jangada de pedra
A maior flor do mundo
Manual de pintura e caligrafia
Objecto quase
Que farei com este livro?
Todos os nomes
Viagem a Portugal

JOSÉ SARAMAGO

DON GIOVANNI OU O DISSOLUTO ABSOLVIDO

Posfácio:
GRAZIELLA SEMINARA

Copyright © 2005 by José Saramago
Copyright do posfácio © Teatro alla Scala. Texto gentilmente cedido pelo
Teatro alla Scala, de Milão, em março de 2005, reproduzido do programa de
Il Dissoluto Assolto

Capa
Hélio de Almeida
sobre Calcédoine *(1971), gravura (goiva) em cores de Arthur Luiz Piza. 34,8 x 29,5 cm*
São Paulo, Museu de Arte Moderna. Doação Frederico Melcher nº 1425

Tradução do posfácio
Mário Vieira de Carvalho

Preparação
Eugênio Vinci de Moraes (posfácio)

Revisão
Isabel Jorge Cury
Olga Cafalcchio

Os personagens e as situações desta obra são reais apenas no universo da ficção; não
se referem a pessoas e fatos concretos, e sobre eles não emitem opinião.

A pedido de José Saramago, nos textos de sua autoria foi mantida a ortografia
vigente em Portugal. Nos demais textos, adotou-se a grafia brasileira.

Dados Internacionais de Catalogação na Publicação (CIP)
(Câmara Brasileira do Livro, SP, Brasil)

Saramago, José , 1922-
 Don Giovanni ou O dissoluto absolvido / José Saramago ;
posfácio Graziella Seminara. — São Paulo : Companhia das
Letras, 2005.

ISBN 85-359-0624-x

 1. Peças de teatro 2. Teatro português I. Seminara,
Graziella. II. Título. III. Título: O dissoluto absolvido

05-1628	CDD-869.2

Índices para catálogo sistemático:
1. Peças teatrais : Literatura portuguesa   869.2
2. Teatro : Literatura portuguesa   869.2

2005
Todos os direitos desta edição reservados à
EDITORA SCHWARCZ LTDA.
Rua Bandeira Paulista 702 cj. 32
04532-002 — São Paulo — SP
Telefone (11) 3707-3500
Fax (11) 3707-3501
www.companhiadasletras.com.br

Sumário

Prólogo 17
Cena 1 25
Cena 2 37
Cena 3 51
Cena 4 67
Cena 5 79
Cena 6 87

Posfácio — Gênese de um libreto,
Graziella Seminara 91
Notas 123

Nota do Editor

A peça de teatro de José Saramago que agora se apresenta ao leitor tem uma história que merece ser conhecida. Daí a inclusão nesta edição, em posfácio, do texto do programa do Teatro alla Scala relativo à representação da ópera *Don Giovanni o Il Dissoluto Assolto*, onde essa história é relatada. A Companhia das Letras e a Editorial Caminho agradecem ao Teatro alla Scala e à autora do texto, Graziella Seminara, as facilidades concedidas para a sua reprodução e a Mário Vieira de Carvalho a tradução do original italiano para o português.

A Pilar, meu pilar

Nem tudo é o que parece.
Provérbio

Primeiro, por causa do Golem, depois, muito depois, por causa de Kafka, sempre imaginei a cidade de Praga a preto e branco. Ao Golem, refiro-me ao filme de Paul Wegener, não ao livro de Gustav Meyrink, que nunca tive a paciência de ler até ao fim, devo tê-lo visto aí por 1929, quando nem sete anos havia cumprido ainda. Fui, como se vê, um cinéfilo dos mais precoces. A esse Golem de tosco barro e a outras parecidas assombrações do animatógrafo (dizia-se então assim) ficaria eu a dever os pesadelos mais horríveis da minha infância. O abalo foi tal que me curou deles para todo o resto da vida. A leitura do Processo *e do* Castelo *veio muito mais tarde e não fez senão confirmar que aquela cidade onde o rabino Loëw havia modelado o Golem por sua mão, quer quisesse, quer não, era mesmo a preto e branco.*

Até que chegou o dia em que fui ver Praga com os meus

próprios olhos. Afinal, não era a preto e branco. É certo que o palácio fortificado de Hradcany podia muito bem ser aquele castelo aonde o agrimensor K. nunca conseguiu que o chamassem, é certo que pelos seus sombrios corredores poderiam ter retumbado os passos pesados do homem de barro, mas a cidade, cá fora, era colorida, nítida, precisa como uma gravura a buril, boa para passear. Passeei portanto. E eis que a prestante pessoa que me servia de guia diz em certa altura: "Agora vou levá-lo ao teatro onde se estreou o Don Giovanni *de Mozart". Não exagero nada se digo que o coração me deu um salto dentro do peito. Se há uma ópera no mundo capaz de pôr-me de joelhos, rendido, submetido, é esta. Tinha-me esquecido, ou não lhe dera suficiente atenção se alguma vez o li, que* Don Giovanni *havia visto a luz da ribalta em Praga. E ali estava o edifício, o Ständetheater, com as suas colunas coríntias ornamentando uma fachada que nem assim alcançara a monumentalidade que o arquitecto devia ter tido em mente. Por aquela porta, num dia do ano da graça de 1787, entrou Wolfgang Amadeus Mozart com a partitura do seu* Don Giovanni ossia Il dissoluto punito *debaixo do braço para fazer ouvir à gente de Praga a música de cena mais sublime que alguma vez havia sido composta. E ali estava eu, com o pulso agitado e as mãos trémulas, rodeado de século XX por todos os lados, menos por aquele, desejando uma máquina de viajar no tempo para desandar num instante os quase duzentos anos que me separavam daquele momento, e sabendo, que remédio senão sabê-lo, que nem o tempo nem os rios podem voltar para trás. Dava-se uma outra ópera de Mozart (não recordo qual), mas não havia na bilheteira nem uma só entrada para os dias seguintes. Quando os houvesse já eu não esta-*

ria em Praga, e a mim nada mais poderia interessar-me que Don Giovanni.

Vim ouvi-lo em casa. Tinha-o escutado várias vezes, escutei-o depois não sei quantas, estou a ouvi-lo uma vez mais enquanto escrevo este prólogo à peça teatral que vai adiante, destinada a servir de fundamento dramático ao libreto de uma ópera de Azio Corghi a que pusemos, ele e eu, o título de Don Giovanni ou O dissoluto absolvido. *Porquê absolvido, no fim se conhecerá. Fica por decidir se o autor do texto também virá a beneficiar de uma absolvição, ele que se atreveu a criar o seu próprio Don Giovanni, depois de Tirso de Molina, Cicognini, Giliberto, Dorimon, Villiers, Molière, Rosimond, Shadwell, Zamora, Goldoni, Lorenzo da Ponte, Byron, Espronceda, Hoffmann, Zorrilla, Pushkine, Dumas, Mérimée, e não sei quantos mais. Em meu abono, seja o dilecto amigo Azio Corghi minha boa e leal testemunha, apresentarei as provas da resistência que desde o primeiro momento opus ao convite. Comecei por argumentar que sobre as malas-artes de Don Giovanni tudo havia sido dito, que não valia repetir o que outros já tinham feito melhor, que qualquer coisa que escrevesse seria o mesmo que chover no molhado, etc... Era certo que sempre havia pensado que Don Giovanni não podia ser tão mau como o andavam a pintar desde Tirso de Molina, nem Dona Ana e Dona Elvira tão inocentes criaturas, sem falar do Comendador, puro retrato de uma honra social ofendida, nem de um Don Octávio que mal consegue disfarçar a cobardia sob as maviosas tiradas que no texto de Lorenzo da Ponte vai debitando. Azio Corghi insistiu, insistiu, e então, em desespero de causa, atraído pelo desafio, mas ao mesmo tempo intimidado pela responsabilidade da empresa, disse-lhe que se me ocorresse uma ideia, uma ideia boa, o intentaria. Passou o tempo, meses, Azio perguntando, e finalmente a ideia surgiu. Suspeito agora de que não será tão boa quanto ao princípio me tinha parecido, mas o resultado aí está. O pano já pode subir. Faltará a música, que é sempre o melhor de tudo. Oxalá o leitor possa escutar, chegando bem o ouvido à página, aquela outra música que as palavras têm e que estas talvez não tenham perdido por completo.*

José Saramago

PRÓLOGO

Leporello e um manequim feminino
que representa Dona Elvira.

DONA ELVIRA

Il scellerato
M'ingannò, mi tradì!

LEPORELLO

Eh consolatevi;
Non siete voi, non foste, e non sarete
Né la prima, ne l'ultima; guardate!
Questo non picciol libro è tutto pieno
Dei nomi di sue belle;
Ogni villa, ogni borgo, ogni paese
È testimon di sue donnesche imprese.

DONA ELVIRA

Também está aí o meu nome?

LEPORELLO

Com todas as letras, sucessos e circunstâncias.

DONA ELVIRA

Que horror! O teu patrão, além de traidor, é vaidoso, além de leviano, é indiscreto.

LEPORELLO

É um homem, nasceu com defeitos de homem e gostou deles.

DONA ELVIRA

Dou-te dinheiro se me deixares arrancar a folha onde está escrito o meu nome.

LEPORELLO

Não posso.

DONA ELVIRA

Porquê?

LEPORELLO

Porque nessa folha estão escritos os nomes doutras mulheres. Se cobrasse de uma, teria de cobrar de todas. E vá lá saber-se por onde andarão elas nesta altura! O mais provável é estarem todas casadas... Os maridos não ficariam nada contentes.

DONA ELVIRA

Descarado!

LEPORELLO

Também nasceu com esse defeito, sim senhora.

DONA ELVIRA

É de ti que estou a falar, não de Don Giovanni.

LEPORELLO

A cada um o seu papel. Aos criados mandam-nos que sejamos descarados, medrosos e cobardes. Não podemos ser outra coisa.

DONA ELVIRA

Dá-me esse livro.

LEPORELLO

Sou um cão de guarda fiel, senhora. Descarado, medroso, cobarde, mas fiel.

DONA ELVIRA

Se eu fosse homem arrancar-to-ia das mãos agora mesmo.

LEPORELLO

Em tal caso o seu nome não estaria escrito aqui. No livro só há nomes de mulheres.

DONA ELVIRA

Insolente! Que o céu te castigue!

LEPORELLO

Assim seja.

DONA ELVIRA

Vou-me embora.

LEPORELLO

Não vá, senhora. Deixe que lhe explique melhor o que está no livro.

DONA ELVIRA

Não quero.

LEPORELLO

Tem medo de sentir ciúmes?

DONA ELVIRA

Não.

LEPORELLO

Ou sim?

DONA ELVIRA

Não. Talvez. Sim.

LEPORELLO

Só há uma maneira de sair dessa dúvida. Escute.

Madamina, il catalogo è questo
Delle belle che amò il padron mio.
Un catalogo egli è che ho fatt'io,
Osservate, leggete con me.

In Italia seicento e quaranta,
In Lamagna duecento e trent'una
Cento in Francia, in Turchia novant'una,
Ma in Ispagna son già mille e tre.

DONA ELVIRA

E eu, pobre de mim, sou uma delas.

LEPORELLO

V'han fra queste contadine,
Cameriere e cittadine,
V'han contesse, baronesse,
Marchesane, principesse,
E v'han donne d'ogni grado,
D'ogni forma, d'ogni età.

DONA ELVIRA

Todas lhe servem a esse monstro promíscuo!

LEPORELLO

In Italia seicento e quaranta, *ecc*.

Nella bionda egli ha l'usanza
Di lodar la gentilezza,
Nella bruna la costanza,

Nella bianca la dolcezza.
Vuol d'inverno la grassotta,
Vuol d'estate la magrotta;
È la grande maestosa,
La piccina è ognor vezzosa...
Delle vecchie fa conquista
Per piacer di porle en lista;
Ma passion predominante
È la giovin principiante.

DONA ELVIRA

Como eu, que lhe dei a minha virgindade.

LEPORELLO

Non si picca se sia ricca.
Se sia brutta, se sia bella:
Purchè porti la gonnella,
Voi sapete quel che fa.

(*Sai*.)

DONA ELVIRA

In questa forma, dunque,
Mi tradì il scellerato! È questo il premio
Che quel barbaro rende all'amor mio?
Ah, vendicar vogli'io
L'ingannato mio cor: pria ch'ei mi fugga...
Si ricorra... si vada... Io sento in petto
Sol vendetta parlar, rabbia, e dispetto.

(*Sai*.)

Cena 1

*Don Giovanni, depois o Comendador. Don Giovanni,
sentado a uma mesa, folheia o catálogo
das suas conquistas amorosas. Deve-se perceber
que está dividido entre o prazer da recordação
e a melancolia do passado. Faz contas num papel.*

DON GIOVANNI

Espanha, Turquia, França, Alemanha, Itália, tudo soma-
do dá duas mil e sessenta e cinco mulheres... Quem delas terá sido a primeira? Como se chamava? Seria das louras? Seria das morenas? Era alta? Ou era baixa? Não consigo
recordar-me. Depois de ter duas mil e sessenta e cinco mulheres deitadas, quem seria capaz de se lembrar da primeira?
Tantas, tão poucas, demasiadas. Como poderá saber-se? A
orgulhosa Dona Ana teria neste livro o número dois mil e

sessenta e seis, a ingénua Zerlina seria a dois mil e sessenta e sete, mas as ingratas não me deram tempo, resistiram, gritaram por socorro, obrigaram-me a fugir, a dar confusas e ridículas explicações. Antigamente era mais rápido na conquista, mais veloz no triunfo, mais conclusivo na retirada. E ainda por cima tive de matar o idiota do Comendador. Don Giovanni está a fazer-se velho.

(Batem à porta com violência.)

DON GIOVANNI

Quem chama? Leporello! Leporello! Onde te meteste tu, alma condenada? Vai ver quem está a bater à porta! E diz-lhe que isto é casa de gente, não é portão de quinta nem cancela de estrebaria! Leporello! Ah, tinha-me esquecido de que o mandei às compras... *(Batem de novo, com mais força.)* Pois que batam até se cansarem, o filho do meu pai não veio a este mundo para abrir portas. *(Mais pancadas.)* Quem será o grosseiro, o estúpido, o mal-educado? *(Agarra num bastão e vai abrir.)* Espera aí que já te ensino!

COMENDADOR *(entrando)*

Aqui estou.

DON GIOVANNI

Isso vejo eu, mas custa-me a crer ser verdade o que os olhos me mostram. Uma estátua andante é um prodígio que nunca mais se repetiu desde que o homem foi feito de barro.

COMENDADOR

Convidaste-me a jantar e aqui me tens. Eu prometi que

viria, agora é a tua vez. Cumpre a tua palavra, recebe-me à tua mesa e abre-me a tua consciência.

DON GIOVANNI

Leporello foi fazer compras à vila e ainda não regressou. Se quiseres esperar que ele volte e nos prepare o jantar, senta-te por aí, mas tem cuidado com a cadeira, pesas demasiado. Ou então passa por cá outro dia.

COMENDADOR

O dia é hoje.

DON GIOVANNI

Como queiras. Mas senta-te, por favor, não gosto de ver ao meu lado pessoas mais altas do que eu.

COMENDADOR

Não posso sentar-me.

DON GIOVANNI

Porquê?

COMENDADOR

Uma estátua tem de ficar para sempre como a fizeram. A mim fizeram-me em pé, por isso não me posso sentar. É uma questão de articulações.

DON GIOVANNI

Vais estar em pé por toda a eternidade? Isso cansará muito, suponho.

COMENDADOR

Não sei. A eternidade, para mim, só agora é que começou.

DON GIOVANNI

E como foi que vieste até aqui? Não deve ter sido fácil, com essas pernas rígidas, tesas. Quero dizer, sem articulações.

COMENDADOR

Trouxe-me pelos ares o meu espírito. Não havia outra maneira.

DON GIOVANNI

E onde está ele agora?

COMENDADOR

Ficou lá fora, à espera.

DON GIOVANNI

Se queres, manda-o entrar, não faças cerimónia, onde cabemos dois, cabemos três. E mesmo quatro, se contarmos com Leporello.

COMENDADOR

Não te incomodes, o espírito esperará o que for preciso, cedo e tarde são expressões sem sentido para ele.

DON GIOVANNI

Curioso. E vai ficar lá fora até que acabemos de comer?

30

COMENDADOR

Os mortos não comem, os mortos são comidos.

DON GIOVANNI

Não é preciso estar morto para saber isso. Em todo o caso, tu encontras-te a salvo, os vermes são bichos delicados, respeitam o bronze. Mas, agora reparo, se por te faltarem as articulações não te podes sentar, comer também não poderás. Para comer é preciso dar ao queixo.

COMENDADOR

Já te disse que não vim para comer.

DON GIOVANNI

Para que vieste, então?

COMENDADOR

Para que te arrependas.

DON GIOVANNI

De quê?

COMENDADOR

Da infâmia que cometeste.

DON GIOVANNI

Que infâmia?

COMENDADOR

Forçaste a minha filha, violaste-a.

31

DON GIOVANNI

Não é verdade. Ela resistiu aos assaltos como uma leoa e Don Giovanni teve de retirar-se. Foi humilhante, mas não houve outro remédio.

COMENDADOR

Não acredito.

DON GIOVANNI

Pergunta-lhe. Se já não é virgem será outro o responsável.

COMENDADOR

Um pai não fala desses assuntos com uma filha. O respeito impede-o.

DON GIOVANNI

Isso é lá contigo e com ela. Seja como for, não podes vir aqui exigir-me que me arrependa de uma falta que não cometi.

COMENDADOR

Cometeste outras.

DON GIOVANNI

Duas mil e sessenta e cinco, se queres sabê-lo.

COMENDADOR

Quê?

DON GIOVANNI

Duas mil e sessenta e cinco disso a que chamaste faltas ou infâmias. Mas toma nota nessa tua dura cabeça de que o estupro nunca foi uma actividade sexual do meu gosto. Don Giovanni é um cavalheiro, não viola, seduz.

COMENDADOR

A minha filha...

DON GIOVANNI

A tua filha abriu-me a porta. Admito, em seu abono, que julgasse tratar-se do noivo querido, do etéreo Don Octávio, a quem, pelos vistos, costuma receber no seu quarto, às ocultas do pai. Ou tu sabias, e calavas? Também por respeito?

COMENDADOR

És um miserável pecador, mereces ser castigado.

DON GIOVANNI

Primeiro falavas como um cura, agora vens de carrasco. E tu quem és para quereres castigar-me?

COMENDADOR

Um homem de bem.

DON GIOVANNI

Nunca o afirmes de ti mesmo, presunçoso, espera que to digam.

33

COMENDADOR

Disseram-mo muitas vezes quando estava vivo.

DON GIOVANNI

E acreditaste? Nunca viste o pérfido rosto da hipocrisia de cada vez que te olhaste ao espelho? És o pai, o marido, o amante ou o irmão de todas as mulheres com quem me deitei? E queres vingá-las? E vens pedir-me contas? És Deus? Na verdade, penso que seria capaz de tornar a matar-te se não fosses de bronze, Comendador...

COMENDADOR

Arrepende-te.

DON GIOVANNI

Nunca perante ti, hipócrita. Conheço bem os da tua espécie. Andais pela vida a distribuir palavras que parecem jóias e afinal são enganos, colocais com fingido amor a mão sobre a cabeça das criancinhas, desviais das tentações da carne os vossos olhos falsamente pudicos, mas lá por dentro roeis-vos de despeito, de ciúme, de inveja. Alimentais-vos da vossa própria impostura e quereis fazê-la passar por virtude sublime. A gente como vós cospe-a Deus da Sua boca.

COMENDADOR

Não sabes nada de Deus, incrédulo, não ofendas o Seu santo nome. Fica-te com o teu único senhor, fica-te com o Demónio. Ao inferno, maldito.

DON GIOVANNI

A minha hora ainda não chegou, e se o meu destino for

realmente o inferno, espero, se há justiça, encontrar-te lá quando entrar.

COMENDADOR

A tua justiça não é a de Deus, eu já estou no paraíso. Pela última vez, arrepende-te.

DON GIOVANNI

Não.

COMENDADOR

Arrepende-te.

DON GIOVANNI

Não.

COMENDADOR

Assim o quiseste, assim o terás. Que as portas da morada do Demónio se abram então para ti, que te abrasem as chamas do castigo eterno, que sofras mil anos de torturas por cada uma das vítimas da tua concupiscência. Vai, maldito, o inferno espera-te, tu já não és deste mundo. Vai!

DON GIOVANNI

Estás louco varrido.

COMENDADOR

Vai!

(Uma chama alta brota do chão para imediatamente se apagar.)

DON GIOVANNI

Continuo aqui, Comendador. Experimenta outra vez, mas com mais força. Grita para que o Demónio te ouça e mande abrir a porta.

COMENDADOR (*gritando*)

Vai!

(*Levanta-se uma chama mais pequena
que a primeira e logo se apaga.*)

DON GIOVANNI

Falhaste, Comendador, pelos vistos não tens nenhuma influência no governo do inferno. Talvez seja por estares no paraíso, talvez não haja linhas de comunicação. Dou-te mais uma oportunidade, a última. Costuma-se dizer que às três é de vez.

COMENDADOR (*com desespero*)

Vai, maldito, vai! Ordeno-te que vás!

(*Uma terceira e insignificante labareda
sobe e desaparece.*)

DON GIOVANNI

Acabou-se o gás.

(*Don Giovanni ri às gargalhadas enquanto
o Comendador, lentamente, como se todo o corpo
lhe doesse, se vai tornando rígido, imóvel.*)

Cena 2

Os mesmos, depois Leporello, depois Masetto.
Leporello entra com um cabaz onde traz as compras.
Tendo a atenção atraída pelas gargalhadas de Don
Giovanni, não repara na estátua do Comendador.

LEPORELLO

Muito alegre vos venho encontrar, senhor patrão. Alguma nova conquista para o catálogo? Alguma outra dona ou donzela a ponto de cair na vossa rede? Ou caiu já, enquanto eu fui às compras? Não perdeis tempo, senhor.

DON GIOVANNI

Olha para o que está atrás de ti.

LEPORELLO (*assustando-se*)

Céus! O Comendador!...

DON GIOVANNI

O Comendador está morto. Isso é a estátua dele.

LEPORELLO

E como foi que chegou até aqui?

DON GIOVANNI

Trouxe-o o espírito.

LEPORELLO

Também espíritos vamos ter agora? (*Põe o cabaz no chão.*) Senhor, neste passo das nossas vidas nos separamos, se quer, pague-me o que ainda me está a dever pelos meus serviços, mas se não quiser pagar-me, tanto me faz, numa casa com fantasmas é que eu não fico nem mais uma hora.

DON GIOVANNI

Que casa com fantasmas, estúpido?

LEPORELLO

Esta, a vossa, senhor.

DON GIOVANNI

Cabeça de burro, ignorante, um espírito não é a mesma coisa que um fantasma, aos espíritos não é possível vê-los, são invisíveis, enquanto os fantasmas, esses, se estão para aí virados, se lhes apetece, deixam-se ver pelos viventes. Os fantasmas são divertidos, gostam de pregar sustos. O espírito do Comendador não fez mais do que trazer a estátua ao colo. Ficou lá fora à espera.

LEPORELLO

Mas eu não o vi.

DON GIOVANNI

Já te disse que os espíritos não se vêem.

LEPORELLO

Então, quer dizer que, quando eu entrei, ele estava ali à porta...

DON GIOVANNI

Suponho que sim.

LEPORELLO

Que passei juntinho a ele...

DON GIOVANNI

Provavelmente.

LEPORELLO

Ou que o atravessei de lado a lado...

DON GIOVANNI

É bem possível. Salvo se se afastou quando te viu aproximar.

LEPORELLO

Senhor patrão, prefiro os fantasmas. Ao menos posso ver onde estão e passar de largo.

DON GIOVANNI

E eu prefiro que vás fazer o jantar. Agora, já, imediatamente. A estimulante conversa que tive com o Comendador abriu-me o apetite.

LEPORELLO

Ele também jantará?

DON GIOVANNI

Não pode comer. Falta-lhe a articulação dos maxilares.

LEPORELLO

Senhor?

DON GIOVANNI

Dos maxilares. A articulação dos maxilares.

LEPORELLO

Ah... (*Olha a estátua, abana a cabeça com comiseração e vai para retirar-se levando o cabaz. Detém-se ao ver umas manchas negras no chão.*) Estas manchas pretas não estavam aqui quando saí para ir às compras. (*Aspira.*) E cheiram a queimado, senhor.

DON GIOVANNI

Ideias do Comendador, que julga que ainda está na idade de brincar com o lume.

LEPORELLO

Perdoe-me que o contradiga, senhor, uma estátua nunca poderia brincar com o lume. Uma estátua não seria capaz nem de riscar um fósforo.

DON GIOVANNI (*como falando consigo mesmo*)

O pobre velho ainda era dos que acreditavam no poder justiceiro das maldições. Eu te amaldiçoo, filho ingrato... Que lhe havemos de fazer? (*Para Leporello.*) Ao trabalho, senhor Leporello, em cinco minutos quero ver aqui o meu jantar. Para algo terá de me servir despender uma fortuna em pré-cozinhados.

LEPORELLO

Senhor, já vou, já fui, já não estou. (*Sai.*)

DON GIOVANNI (*aproxima-se da estátua*)

Quem és tu agora? Uma estátua que fala, ou um homem que se cala? Ainda crês na existência do inferno? Dirás que sim, que à tua simples ordem saltaram do solo três labaredas para devorar-me, e eu digo-te que elas não foram mais do que uns mesquinhos fogos-fátuos, como se vêem à noite nos cemitérios. Que aqui não há nenhum cemitério? Como te enganas, estátua! A terra é toda ela um sepulcrário, é mais a gente que se encontra debaixo do chão que aquela que em cima dele ainda se agita, trabalha, come, dorme e fornica. Parece que os anos que viveste não te ensinaram muito, está-tua. A morte dos malvados não é para o inferno que se abre, mas para a impunidade. Ninguém poderá ferir-te nem ofen-der-te se já estás morto. Que eu tenha sido na vida um desses malvados? Como agora se costuma dizer, é uma questão de ponto de vista, seria para mim uma perda de tempo discutir com um comendador tão melindroso assunto. Se queres saber a minha opinião, o ser humano é livre para pecar, e a pena, quando a houver, aqui, ouves-me?, aqui na terra, não no inferno, só virá dar razão à sua liberdade. Nunca se pronunciaram palavras mais vãs do que quando se disse: "Deus te dará o castigo." Seria para chorar se não fosse para rir.

COMENDADOR (*saindo do seu silêncio de estátua*)

Di rider finirai prima dell'aurora.

DON GIOVANNI

Veremos. O último a rir será sempre o que ri melhor. Tu já estás fora da comédia. Não passas de um adereço.

(*Leporello entra trazendo o jantar.
Don Giovanni senta-se à mesa. Música.*)

DON GIOVANNI (*levantando o copo*)

Como não posso brindar à tua saúde, Comendador, brindo à tua eternidade. Que vivas por lá muitos anos. Todos. (*Gargalhada.*)

COMENDADOR

Di rider finirai prima dell'aurora.

DON GIOVANNI

Nunca te disseram que a repetição faz perder o efeito dramático?

(*Batem à porta, Leporello vai abrir.*
Regressa com Masetto.)

LEPORELLO
Senhor, aqui está Masetto.

DON GIOVANNI (*irónico*)
E que veio fazer o bom Masetto a esta sua casa?

LEPORELLO (*para Masetto*)
Responde, homem, não sejas acanhado.

MASETTO (*tímido, balbuciando*)
Ando à procura de Zerlina.

DON GIOVANNI
Perdeste-a? Levava-la à trela e ela soltou-se?

MASETTO
Não, senhor.

DON GIOVANNI
Tinha-la fechada em casa e ela saltou pela janela?

MASETTO
Não, senhor.

DON GIOVANNI
Por que pensaste que a tua Zerlina tinha vindo para aqui?

MASETTO (*tomando coragem*)

Porque enquanto existir Don Giovanni, tudo é possível neste mundo.

DON GIOVANNI

Lisonjeias-me, meu caro Masetto, não sei como to agradeça. Nem nos meus sonhos mais complacentes, e tenho tido muitos, havia alguma vez imaginado que chegasse a alcançar semelhante reputação. A partir de agora vou passar a ter mais respeito pela minha pessoa.

LEPORELLO (*aparte*)

É bem certo o que os sábios modernos afirmam, ninguém se conhece a si mesmo.

MASETTO (*ganhando outra vez coragem*)

Zerlina está aqui?

DON GIOVANNI

Não respondo a perguntas de camponeses estúpidos. Diz-lhe tu, Leporello.

LEPORELLO

Vai tranquilo, Masetto, ela não está aqui.

MASETTO (*desconfiado*)

Não está, ou já não está?

LEPORELLO

Nem está, nem esteve.

MASETTO

Nem virá a estar?

LEPORELLO (*lírico*)

O futuro é um mar contido na concha das mãos de Deus, normalmente vai caindo sobre as nossas cabeças como o contínuo fluir de uma cascata, mas, de vez em quando, sempre há um pedacinho maior que se solta.

MASETTO (*confuso*)

Estás a divertir-te à minha custa?

DON GIOVANNI

Não, caro Masetto, o que Leporello quis dizer é que o futuro só a Deus pertence. Mas não te preocupes, quando uma mulher desaparece, geralmente vai para casa dos pais... Conheci muitos casos.

MASETTO (*ameaçador*)

Se estais a enganar-me...

(*Sai.*)

DON GIOVANNI (*para Leporello*)

Não saio do meu assombro. Leporello, poeta.

LEPORELLO

O mérito não é meu, senhor, é das serenatas que vos tenho ouvido cantar à lua.

DON GIOVANNI

Nunca cantei serenatas à lua. À luz da lua, sim, mas nunca à lua. Não gasto o meu tempo com satélites. Tragam-me estrelas, e então cantarei.

LEPORELLO

Mulheres.

DON GIOVANNI

Dizer mulheres é o mesmo que dizer estrelas, senhor Leporello.

COMENDADOR (*como se despertasse subitamente*)

Falso, mentiroso, pérfido, intrujão, vigarista, embaucador...

DON GIOVANNI

Sonhavas comigo, Comendador? Sabes? Agora mesmo me acaba de ocorrer que o facto de não ter conseguido seduzir a doce Zerlina foi talvez o que me salvou de cair há bocado no inferno... Que te parece? Imagina que há lá uma balança que vai registando o peso das vítimas das nossas maldades e que a nossa alma só começa a estar em perigo quando excedemos um número convencionado de toneladas de culpa... Que te parece? Não crês que uma medida destas poderia haver sido pactuada entre Deus e o Demónio por causa do exagerado crescimento demográfico do inferno nos últimos tempos? Que te parece?

COMENDADOR

Falso, mentiroso, pérfido...

Don Giovanni (*falando enquanto se retira*)

Já sei, já sei... Intrujão, vigarista, embaucador... Regressa ao teu sonho, Comendador. Deixo-te com Leporello.

CENA 3

Leporello e o Comendador. Depois Dona Elvira,
Don Giovanni, Masetto.

LEPORELLO (*dirige-se ao Comendador, enquanto vai reco-*
lhendo o serviço do jantar)

Agora que estamos sozinhos, com as paredes por únicas testemunhas, e uma vez que, contrariamente ao dito, elas não terão ouvidos enquanto não forem inventados os microfones, dá-me Vossa Comendadoria licença que lhe faça uma pergunta?

COMENDADOR

Fala.

LEPORELLO

Com todo o respeito que devo a Vossa Comendadoria, tenciona a estátua de Vossa Comendadoria ficar em casa do meu patrão para sempre?

COMENDADOR

E a ti, imbecil, que te interessa? Por que queres tu sabê-lo?

LEPORELLO

É que se Vossa Comendadoria veio para ficar, então eu rogaria à estátua de Vossa Comendadoria, por alma de quem lá tenha, o favor de se afastar um pouco para aquele lado porque está a empatar o caminho.

COMENDADOR

Semelhante atrevimento, semelhante insolência não se pagariam nem com cinquenta chicotadas. A ti o que te vale é eu estar morto.

LEPORELLO

Felizmente, senhor.

COMENDADOR

Felizmente, quê?

LEPORELLO

Felizmente que Vossa Comendadoria está morta. São menos cinquenta chicotadas no lombo de um criado.

COMENDADOR (*dirigindo-se ao público*)

A minha filosofia sempre me ensinou que é um erro tratar com demasiada confiança esta gentinha, dá-se-lhes o pé e tomam logo a mão. Em verdade, o único benefício que encontrei no meu passamento foi não ter de aturar mais a criadagem. Se cantam bem ainda servem para os coros. Para o resto não valem nada.

LEPORELLO (*após um silêncio*)

Vossa Comendadoria deu-me licença que lhe fizesse uma pergunta, mas não me deu a resposta. Não é maneira de um Comendador se comportar, se me autoriza o reparo.

COMENDADOR (*contrariado*)

Sim, devo esse respeito aos meus antepassados. Qual foi a pergunta?

LEPORELLO

Se a estátua de Vossa Comendadoria vai ficar para sempre em casa do meu patrão.

COMENDADOR

Ficará até que seja feita justiça.

LEPORELLO

E isso será quando, senhor? Quando as galinhas tiverem dentes?

COMENDADOR

Nunca ouviste falar dos dinossauros? Houve um tempo

em que até as galinhas tinham dentes e garras, e esse tempo pode bem voltar.

LEPORELLO

Antes que tal aconteça, o mundo terá tido tempo para morrer de velho. E sem juízes, nem tribunais, nem comendadores...

(*Batem à porta, Leporello vai abrir.*
Entra Dona Elvira. Traz um embrulho na mão.)

DONA ELVIRA

Don Giovanni está em casa?

LEPORELLO

Sim, senhora.

DONA ELVIRA

Vai chamá-lo. Preciso de falar com ele.

LEPORELLO

Mas, senhora...

DONA ELVIRA

Mas, senhora, quê?

LEPORELLO

Ele disse... disse que não quer ser incomodado.

DONA ELVIRA

Pois então diz-lhe que se trata de uma questão de vida ou de morte. Ele que decida.

(Leporello sai.)

COMENDADOR

Quem é a senhora?

DONA ELVIRA

E o senhor, quem é?

COMENDADOR

Sou o pai de Dona Ana, o Comendador. Quer dizer, sou a estátua dele.

DONA ELVIRA

Realmente tinha-me parecido que era uma estátua, mas pensei que fazia parte da decoração. E que veio fazer aqui, se não é indiscrição?

COMENDADOR

Não me disse como se chama...

DONA ELVIRA

Dona Elvira, Elvira para os amigos. Uma das pobres vítimas de Don Giovanni.

COMENDADOR

Tal como a minha filha. Dona Ana na sociedade, Aninhas para a família.

DONA ELVIRA

Conheço a sua filha, mas a nossa situação é muito diferente. Eu sou vítima mesmo, no sentido literal do termo, enquanto ela lá conseguiu salvar-se do assalto.

COMENDADOR

Quem não se salvou fui eu. De uma estocada o malvado mandou-me para o outro mundo.

DONA ELVIRA

Por isso veio invadir-lhe a casa.

COMENDADOR

Não exactamente, vim cá para vingar a ofensa feita à minha filha, a mancha na minha honra de pai.

DONA ELVIRA

E conseguiu?

COMENDADOR (*com tristeza*)

Não. O método de que me servi estava desactualizado, perdeu a eficácia sem que eu me tivesse apercebido. É o que sucede quando não se lêem os jornais todos os dias.

DONA ELVIRA

Que método era esse?

COMENDADOR

A maldição.

DONA ELVIRA

Isso foi chão que deu uvas, Comendador.

(*Entra Don Giovanni.*)

DON GIOVANNI (*para Dona Elvira*)

Que queres? Que questão é essa de vida ou de morte que te trouxe aqui?

DONA ELVIRA (*exagerando o dramatismo da frase*)

A minha vida, a minha morte.

DON GIOVANNI

Em que ficamos? Vida, ou morte?

DONA ELVIRA

Dás-me a vida se me devolves o teu amor, rouba-la se não me recebes nos teus braços.

DON GIOVANNI

E na minha cama.

DONA ELVIRA

Sim, na tua cama. Recorda as horas deliciosas que gozámos na minha, ouvindo os sinos da catedral de Burgos. Não posso ouvir um sino sem me arrepiar toda.

DON GIOVANNI

Cuidado com as expansões. Esse senhor que aí está,

mal-encarado, pertence à seita dos puritanos ortodoxos. Quanto a nós, já te disse que está tudo acabado.

DONA ELVIRA (*fazendo menção de ajoelhar-se*)

Queres que te implore de joelhos? Queres que me arraste aos teus pés? O amor aceita tudo, e eu amo-te.

DON GIOVANNI

Noutro tempo, talvez sim, mas agora os teus discursos soam a falso. Se não te retiras, terei de retirar-me eu. É inútil tudo quanto aqui se diga.

DONA ELVIRA

Cruel! Pariu-te uma fera, não uma mulher entre as mulheres.

DON GIOVANNI (*saindo*)

Adeus. Se calhar por isso é que as procuro tanto.

LEPORELLO (*para Dona Elvira*)

Não poderá dizer que eu não a avisei, senhora. Conheço o meu amo como as palmas das minhas mãos.

DONA ELVIRA (*fingindo que se sente mal*)

Ai, parece-me que vou desmaiar. Um copo de água, Leporello, um copo de água, por amor de Deus. Melhor uns sais. Ou as duas coisas.

(*Leporello sai correndo.*)

(Dona Elvira abre o embrulho.
Aparecerá um livro igual ao catálogo
das conquistas amorosas de Don Giovanni.
Substitui um por outro, refaz o embrulho.)

DONA ELVIRA (*para o Comendador*)

Nem uma palavra sobre o que acabou de ver.

COMENDADOR

Descanse, serei mudo como uma estátua.

(Leporello entra. Traz um copo de água
e um frasco de sais.)

LEPORELLO

Por qual quer começar, senhora?

DONA ELVIRA

A água, primeiro. (*Bebe um gole. Deve poder notar-se*
que não tem sede.) Agora, os sais. (*Aspira rapidamente.*)

LEPORELLO

Está melhor, senhora? Já lhe passou o fanico?

DONA ELVIRA

Estou melhor, sim. Mas ordeno-te que sejas mais respei-
toso, não chames fanico ao desfalecimento de uma dama que
esteve a ponto de cair redonda no chão. Podia ter morrido.

LEPORELLO

Sim, senhora.

DONA ELVIRA

Vou-me embora para sempre. Murchas, deixo aqui as minhas esperanças, caducas, as minhas ilusões. A vida deixou de ter sentido para mim. Quem sabe? Talvez vá acabar os meus dias num convento. (*Sai.*)

LEPORELLO

Desconfio que se fosse actriz ninguém a chamaria para lhe oferecer um contrato... Que opina Vossa Comendadoria sobre a representação de Dona Elvira? Pareceu-lhe sincera?

COMENDADOR

Sincera como representação, ou como realidade?

LEPORELLO

Como representação, a realidade não conta aqui para nada.

COMENDADOR

Pensando melhor, prefiro não opinar. O próprio das estátuas é não falar. Os seus lábios estão selados.

LEPORELLO

Pois não se pode dizer que Vossa Comendadoria tenha falado pouco até agora...

COMENDADOR

Sou uma excepção, mas só falo quando quero.

(Entra Masetto.)

MASETTO *(inquieto)*
Diz-me a verdade, Leporello. Zerlina está aqui? Não a encontro em nenhuma parte.

LEPORELLO
Queres saber a verdade, toda a verdade?

MASETTO
Sim...

LEPORELLO *(dá-lhe o frasco de sais)*
Toma, vais precisar deles. Zerlina está na cama com Don Giovanni.

MASETTO
Quê?

LEPORELLO
É como te digo. Na cama com Don Giovanni.

MASETTO
Ah, infame, mulher sem vergonha, desgraçada causa da minha perdição! Eu mato-a, eu mato-a! E mato-o a ele! Aos dois, aos dois! *(De navalha em punho, corre à porta que dá para o interior da casa, mas Leporello interpõe-se.)*

LEPORELLO
Aonde queres ir, estúpido?

63

MASETTO (*desesperado*)

A matá-los, a matá-los!

LEPORELLO

Tranquilo, homem, tranquilo, foi só uma brincadeira, Zerlina não está aqui.

MASETTO

Não queiras enganar-me agora. És o criado dele...

LEPORELLO

Pela alma dos meus defuntos, juro-te que Zerlina nunca entrou nesta casa.

MASETTO (*forcejando*)

Não acredito em ti.

LEPORELLO

Se não acreditas em mim, pergunta a essa estátua.

MASETTO

As estátuas não falam.

LEPORELLO

Esta, sim. E dir-te-á a verdade porque as estátuas não podem mentir.

> (*Masetto duvida, mas a ansiedade
> tem mais força que o cepticismo.*)

Masetto

Senhor, não sei quem sois, mas tirai-me desta aflição. Zerlina está aqui?

Comendador (*com voz de estátua*)

Não.

Masetto

Desculpai, senhor. É certo o que me dizeis?

Comendador

A minha palavra é só uma. Palavra de estátua não volta atrás.

Masetto

Obrigado, senhor, obrigado, Deus vos pague. (*Sai.*)

Comendador (*a Leporello*)

Como sabias tu que as estátuas não podem mentir?

Leporello

É muito simples. Não têm nada dentro da cabeça.

Cena 4

Don Giovanni, Leporello, Comendador, depois Dona Elvira, Don Octávio e Dona Ana.

(Don Giovanni, sentado, lê o jornal.
Leporello limpa e puxa o brilho à espada do amo.
A estátua do Comendador continua no mesmo sítio.)

LEPORELLO

O pobre Masetto, coitado, anda com a ideia fixa de que a sua Zerlina veio para aqui. Já são duas vezes que vem cá perguntar. Imagino que algum motivo ela lhe terá dado para que ele pense assim.

DON GIOVANNI

Seja ele qual for, não a trouxe a esta casa.

LEPORELLO

Até agora, senhor, até agora.

DON GIOVANNI

Leporello, és um ignorante, não entendes nada de psicologia feminina. Uma mulher que se negou uma vez poderá não negar-se segunda, mas nunca o faria por iniciativa própria, esperaria até que a rodeassem de novas súplicas, de novas implorações, em suma, de novas manobras de sedução. Então, sim, içaria a bandeira branca que já tinha preparada.

LEPORELLO

Quer dizer que Dona Ana, por exemplo, também estaria disposta a deitar abaixo as muralhas do rancor que lhe tem?

DON GIOVANNI

Isso é diferente. Matei-lhe o pai.

COMENDADOR

Sim, mataste-me, mas a justiça não tarda aí, já tem o pé no primeiro degrau da escada.

DON GIOVANNI

Sendo assim, devemos recebê-la com a consideração que merece. Virá nua? Ou é a verdade que é representada despida? Leporello, vai abrir a porta. Seria uma falta de respeito obrigar a justiça a tocar a campainha...

LEPORELLO (*resmungando enquanto executa*)

Esta estátua ainda será a nossa perdição. Se não fosse de

bronze já lhe teria dado uma boa martelada. De passagem, como quem não quer a coisa.

(*A porta está aberta. Pausa.*
Don Giovanni volta à leitura do jornal.
Leporello hesita, mas, reparando na serenidade
do amo, retoma a limpeza da espada.)

LEPORELLO (*para o Comendador*)
Vossa Comendadoria enganou-se. Não vem ninguém.

COMENDADOR
Vai ver.

(*Leporello vai à porta e olha para fora.*
Recua no mesmo instante.)

LEPORELLO
Não é a justiça, é...

(*Não termina a frase. Entram, sucessivamente, Dona*
Elvira, Dona Ana e Don Octávio.)

DON GIOVANNI (*baixando o jornal*)
Dona Elvira, Dona Ana, Don Octávio... Em que vos posso ser útil a estas horas já tardias da noite?

DONA ANA (*dirigindo-se a Leporello*)
Que faz aqui a estátua do meu pai?

LEPORELLO

Senhora, eu sou Leporello... O dono desta casa é Don Giovanni. Pergunte-lhe a ele.

DON GIOVANNI

Não perguntará, Leporello, tu não conheces o orgulho desta dama. Perguntou-te a ti porque és o criado, mas não perguntará ao amo. Ou talvez sim. Demos-lhe tempo.

(*Silêncio.*)

DONA ANA (*sem olhar para Don Giovanni*)

Que faz aqui a estátua do meu pai?

DON GIOVANNI

Como viste, Leporello, a pergunta foi lançada ao ar. Portanto, o ar que lhe responda.

DONA ANA (*olhando finalmente Don Giovanni*)

Que faz aqui a estátua do meu pai?

DON GIOVANNI

Não a chamei, veio pelo seu pé. Se quer saber mais, per-gunte-lhe.

DONA ANA

As estátuas não falam.

DON GIOVANNI, DONA ELVIRA, LEPORELLO (*juntos*)

Esta, sim. Maravilha da nossa idade, prodígio jamais

visto, assombro das gerações vindouras, fenómeno que todos os circos do mundo disputarão, eis aqui uma estátua que fala.

DONA ANA

Pai, meu querido e chorado pai, por que foi que vieste do campo-santo a este antro ignóbil onde a maldade se multiplica como a rainha da colmeia às abelhas? Que foi que te fez abandonar o silêncio e a fatal imobilidade da morte?

COMENDADOR

Vim para amaldiçoar e condenar às penas do inferno o infame que te ofendeu. Mas as maldições parece que já não caem sobre as cabeças dos culpados e o inferno talvez não exista ou talvez tenha fechado para sempre as suas portas. As chamas apagaram-se, o mal é livre.

DONA ANA

Enganas-te, pai, o inferno existe mesmo. Don Giovanni não precisará de morrer para cair no inferno, o inferno será a sua própria vida a partir deste momento.

COMENDADOR

Que queres dizer? Dás-me uma alma nova!

DONA ANA (*para Dona Elvira*)

Elvira, minha amiga, conta-me, alguma vez amaste a Don Giovanni?

DONA ELVIRA

Não.

DONA ANA

Alguma vez foste para a cama com ele?

DONA ELVIRA

Nunca.

DONA ANA

Ele afirma que sim.

DONA ELVIRA

Mente.

DON GIOVANNI

Que comédia é esta? Aonde quereis chegar, demónios?

DONA ELVIRA

Ana, minha amiga, conta-nos agora o que realmente se passou no teu quarto.

DONA ANA

Ao princípio, pensei que se tratava do meu noivo, Don Octávio aqui presente, e o desejo dispôs-me logo para os jogos do amor, mas não tardei muito a aperceber-me de que o homem que me apertava nos braços era impotente. Ora, devo esclarecer, com o meu saber de experiência feito, que o meu Don Octávio, de impotente, não tem nada. Empurrei de cima de mim o desgraçado e então vi quem era. O resto já sabem. Fugiu, meu pai cortou-lhe o passo e isso custou-lhe a vida. Para matar um velho, Don Giovanni ainda serviu, mas não para levar uma mulher ao paraíso.

DON GIOVANNI (*rindo*)

E que diz Dona Elvira, que veio de Burgos para suplicar-me que lhe desse atenção e voltasse para os seus braços?

DONA ELVIRA

Fingimentos meus para divertir-me à tua custa, filho dilecto da mentira.

DON GIOVANNI

Tu és a mentirosa, tu e essa mulher que acaba de contar uma história em que não há nem sequer a sombra de uma verdade.

DONA ANA, DONA ELVIRA

A tua apregoada vida de sedutor é que é uma falsidade do princípio ao fim, um invento delirante, nunca seduziste ninguém, farejas como um cão fraldiqueiro as saias das mulheres, mas nasceste morto entre as pernas.

DON GIOVANNI (*encolhendo os ombros*)

Duas mil mulheres dirão o contrário.

DONA ANA, DONA ELVIRA

Quando souberem que te fizemos cair do pedestal, passarão a dizer o mesmo que nós. Podes ter a certeza.

DON OCTÁVIO (*para Don Giovanni*)

Por falso e caluniador o que merecias era que eu te atravessasse com a minha espada, mas o desprezo das pessoas honestas te matará, cada dia que vivas será como uma morte para ti.

DON GIOVANNI

Leporello, o livro. Abre-o e atira-lhes com a verdade à cara.

LEPORELLO (*tendo aberto o livro*)

Senhor, senhor Don Giovanni, os nomes desaparece-ram, as páginas estão brancas...

DON GIOVANNI

Quê? (*Arranca o livro das mãos de Leporello. Folheia-o desesperado.*) Que aconteceu? Que aconteceu? Para onde foram os nomes que aqui estavam escritos? (*Para Leporello.*) Que fizeste tu, maldito?

LEPORELLO (*tremendo*)

Eu, nada, senhor... Não fiz nada, senhor... Como pode-ria eu fazer algo? O livro estava ali... Seria a má qualidade da tinta...

DON GIOVANNI

A maldição!

COMENDADOR, DONA ANA, DONA ELVIRA, DON OCTÁVIO

Sim, a maldição!

(*Os quatro riem, o Comendador em gargalhadas
estentóreas, como se supõe que seja próprio
de uma estátua de bronze.*)

DON GIOVANNI

Leporello, a minha espada. Vou matar um idiota que desde que isto começou não tem feito outra coisa que esconder-se atrás das saias da sua mentirosa amásia... (*Entrega o livro a Leporello e recebe a espada.*)

DON GIOVANNI (*para Don Octávio*)

Defenda-se, senhor!

DON OCTÁVIO

Não cruzarei o ferro com um falso e um caluniador, seria envergonhar os meus antepassados. Não mancharei a minha honra.

DON GIOVANNI

A minha espada é que vai ser manchada pelo teu sangue de poltrão. Se não te defendes, escarro-te na cara, miserável. Pode ser que com essa última provocação a tua honra se digne dizer-te o que é tua obrigação fazeres. Pela última vez te ordeno, defende-te!

(*Don Octávio desembainha a espada e avança sobre Don Giovanni. Este apara os golpes e contra-ataca lançando uma estocada ao coração do adversário. Don Octávio cai. Dona Ana precipita-se para Don Octávio, soergue-o, ampara-o. É inútil, Don Octávio está morto.*)

DONA ANA

Monstro! Que todas as feras da terra te devorem mil

vezes e mil vezes te vomitem! Mataste o meu pai, agora o homem que eu amava, que mais te falta ainda para que o céu te castigue?

DONA ELVIRA

Nós já o castigámos. O céu esperará a sua vez, mas não fará pior.

DON GIOVANNI (*quase murmurando, como se estivesse em transe*)

Haveis mentido... Haveis mentido...

(*Dona Ana e Dona Elvira arrastam o cadáver para fora, Leporello ajuda-as. Saem. Don Giovanni pega no livro que Leporello tinha deixado em cima de uma mesa. Olha-o. Com a espada numa mão e o livro na outra, Don Giovanni está só.*)

COMENDADOR

Agora, sim, caíste no inferno.

CENA 5

Comendador, Don Giovanni, depois Zerlina.

(A porta está aberta. Leporello ainda não regressou. Don Giovanni está sentado, com a cabeça descansando entre as mãos. A espada e o livro, no chão.)

COMENDADOR

Vencido, Don Giovanni?

DON GIOVANNI

Confundido. Não consigo compreender o que se terá passado com o maldito livro.

COMENDADOR

Talvez tenha sido culpa da qualidade da tinta, como disse o teu criado.

DON GIOVANNI

Não acredito. Algum resto deveria ter permanecido no papel, uma sombra, um vestígio, um nome que fosse, um simples nome. (*Expressão sonhadora.*) Laura, Beatriz, Heloísa, Julieta, Helena, Margarida...

COMENDADOR

Se a memória não me engana, esses nomes que disseste não são simples nomes. E, se os tinhas escritos no teu livro, não podiam corresponder às mesmas pessoas.

DON GIOVANNI

Como sabes tu dessas coisas? Supunha que por aí não se chegava a comendador.

COMENDADOR

Quando jovem fiz as minhas leituras.

(*Pausa.*)

DON GIOVANNI

É a altura de te ires embora. O pano ainda não caiu, mas o espectáculo já terminou.

COMENDADOR

Não posso ir-me daqui sozinho. Preciso do espírito que está lá fora. Foi ele que me trouxe, só ele me pode levar.

DON GIOVANNI

Dou-te uma hora para saíres. Se esse espírito que era o teu te tiver abandonado, como começo a suspeitar, Leporello empurra-te lá para fora.

COMENDADOR

Sou muito pesado.

DON GIOVANNI

Não é nada que um pé-de-cabra e uma boa alavanca não possam resolver... Parece-me ouvir passos, aí vem Leporello.

(*Entra Zerlina. Pára à entrada da porta.*)

ZERLINA

Don Giovanni.

DON GIOVANNI

Zerlina. Que fazes aqui?

(*Don Giovanni corre à porta, traz Zerlina pela mão.*)

DON GIOVANNI

Não esperava tornar a ver-te. (*Mudando de tom.*) Masetto tem andado à tua procura. Já veio duas vezes perguntar por ti. Não sei por que se lhe meteu na cabeça que poderias estar em minha casa...

ZERLINA

Não precisa fingir, todos sabemos porquê. Tentou seduzir-me e eu estive a ponto de ceder. E ele teve medo de que eu tivesse vindo entregar-me por minha livre vontade.

DON GIOVANNI (*desconcertado*)

E não é o caso?

ZERLINA

Não. Tinha saído de casa porque precisava de estar sozinha. O que ele pensou, com o seu ciúme, não tem nada que ver com a realidade.

DON GIOVANNI

Mas agora estás aqui...

ZERLINA

Sim, estou aqui.

DON GIOVANNI

Porquê?

ZERLINA

Encontrei no caminho Dona Ana, Dona Elvira e Leporello. Levavam o cadáver de Don Octávio em cima de um cavalo. Perguntei como tinha morrido e disseram-me que o matador havia sido Don Giovanni.

DON GIOVANNI

Em duelo leal. Morreu ele, podia ter morrido eu. (*Pausa.*) Foi por isso que vieste?

ZERLINA

Não. Depois falaram-me de um livro onde se encontravam escritos os nomes de todas as mulheres que havia seduzido até hoje...

DON GIOVANNI (*apontando*)
Este livro.

ZERLINA
O livro não é esse.

DON GIOVANNI
É este, sim.

ZERLINA
Esse livro foi trazido por Dona Elvira.

DON GIOVANNI (*ansiosamente*)
E o outro?

ZERLINA
Levou-o. Queimou-o à minha frente.

DON GIOVANNI (*deixando-se cair numa cadeira*)
Enganado! Miseravelmente enganado! (*Mudando de tom.*) E então resolveste vir aqui para te rires de Don Giovanni... Tu também.

ZERLINA
Não vim para me rir de ti. Vim porque havias sido humilhado, vim porque estavas só, vim porque Don Giovanni se tinha tornado de repente num pobre homem a quem haviam

roubado a vida e em cujo coração não restaria senão a amargura de ter tido e não ter mais.

DON GIOVANNI

Já viste esse homem, agora podes ir-te. Don Giovanni está tão morto como Don Octávio.

ZERLINA

Não irei.

DON GIOVANNI

Que queres que faça contigo?

ZERLINA

É tempo de que eu te conheça e me conheça a mim.

DON GIOVANNI

E Masetto?

ZERLINA

Não amo Masetto, amo-te a ti.

DON GIOVANNI

Tremem-me as mãos. Este não é Don Giovanni.

ZERLINA

Este é Giovanni, simplesmente. Vem.

*(Saem abraçados. A estátua do Comendador
cai desfeita em pedaços.)*

CENA 6

Entra Leporello. Depois Masetto.

*(Leporello levanta do chão a espada e o livro.
Limpa cuidadosamente a espada suja de sangue.
Interrompe o trabalho para pegar no livro e abri-lo.
Folheia-o, abana a cabeça como quem renunciou
a discutir com o irremediável. Lança o livro
às chamas que ardem na chaminé.
Fica a olhar uns momentos, depois
volta à limpeza da espada.)*

Entra Masetto.

Leporello

Não me digas que vens perguntar outra vez por Zerlina...

MASETTO

Sim, essa é a pergunta.

LEPORELLO

Se está cá, não a vi entrar.

MASETTO

Fala claro. Está, ou não está?

LEPORELLO

Já respondi. Ajudei a levar daqui o corpo de Don Octávio, que Don Giovanni matou em duelo. Não posso jurar sobre o que se passou durante a minha ausência.

MASETTO

Então é verdade que Zerlina está aí dentro?

LEPORELLO

Talvez sim, talvez não. Já te disse que não sei. Mas se ela está onde decidiu, então, caro Masetto, tira o sentido dela, não lhe tornarás a tocar nunca mais.

MASETTO

Hei-de vingar-me.

LEPORELLO

Não vale a pena, Masetto, não percas o teu tempo. Deus e o Diabo estão de acordo em querer o que a mulher quer.

Sai Masetto. Leporello volta à limpeza da estátua.

CAI O PANO

POSFÁCIO
Gênese de um libreto

Graziella Seminara

O encontro artístico entre Azio Corghi e José Saramago deu-se em fins dos anos 80, com a ópera *Blimunda*, inspirada numa das mais significativas obras do escritor português, o romance *Memorial do convento*, e foi encenada pela primeira vez no Teatro Lírico de Milão, em 20 de maio de 1990. Essa não foi a primeira experiência do compositor com teatro musical: Corghi já tinha feito a sua estréia havia alguns anos com *Gargantua* (1984, sobre libreto de Augusto Frassineti, extraído de *Gargântua e Pantagruel* de François Rabelais), cumprindo desse modo um árduo itinerário de reapropriação da cena operística, conduzido em oposição à resistência intelectualista da vanguarda pós-webierniana, com os seus preconceitos e reservas quanto ao próprio estatuto estético da ópera.

Na obra-prima de Rabelais (lida à luz do ensaio Mikhail Bakhtin, *A cultura popular na Idade Média e no Renascimento: o contexto de François Rabelais*), o compositor descobrira a exaltação de uma abordagem livre e jovial da vida, captada na linguagem e no imaginário da cultura popular, do riso carnavalesco da praça pública e do ideário mais avançado do pensamento renascentista, celebrado por Erasmo de Roterdã no *Elogio da loucura*. No romance de Saramago, Corghi encontrava, por sua vez, a sentida meditação sobre a trágica violência da história, captada nos seus dolorosos reflexos sobre vidas humanas envolvidas na monumental empresa da construção do convento de Mafra, tendo como pano de fundo os terrores da Inquisição e a violência do absolutismo no Portugal das primeiras décadas do século XVIII. Também na ópera seguinte, *Divara* (1993), derivada do drama sombrio *In nomine Dei*, Corghi reencontrou a impiedosa desumanidade da história, na reconstrução saramaguiana da revolta anabatista ocorrida em Münster entre 1532 e 1536 e concretizada com a implantação de um cruel e sanguinário regime teocrático, por fim destruído pelo feroz regresso dos católicos à cidade alemã, após um cerco terrível e devastador.

Além dessas duas óperas, o catálogo das composições de Corghi contém outros trabalhos inspirados na produção literária de Saramago. O romance *O evangelho segundo Jesus Cristo* é a fonte das cantatas *La morte di Lazzaro* (1995) e *Cruci-verba* (2001), nas quais o compositor faz sua a sentida interrogação do escritor sobre o significado último da existência em face da presença iniludível da morte e do escândalo intolerável do "mal". No poema musical "...*sotto l'ombra che il bambino solleva*" (1999) [sob a sombra que o menino suspende], composto a partir de uma seleção dos poemas em prosa com o título *O ano de 1993*, Corghi cruza-se com uma problemática que também atravessa os últimos romances de Saramago: a questão bem moderna das novas formas de controle das consciências exercido pelo poder na sociedade contemporânea, a que o escritor opõe o nostálgico desejo de um mundo diferente, a esperança de uma ainda possível redenção.

No universo poético de Saramago, pleno de desespero filosófico tanto quanto de humanística tensão para a utopia, Corghi viu, pois, refletidas as mesmas razões que estão na base da sua própria pesquisa artística: "Você me possibilitou dizer, através da música, aquilo que penso dos acontecimentos do mundo", escreveu a Saramago em 8 de outubro de 1998, após ter recebido a notícia da atribuição do Prêmio Nobel ao escritor português. Mas também para Saramago foi importante o encontro com Azio Corghi, marcando profundamente a sua aventura existencial e literária: "A arte, a amizade, a generosidade de Azio Corghi trouxeram à trajetória da minha existência uma riqueza que eu jamais teria adquirido sozinho. Graças a Azio Corghi, a urdidura de palavras que criei tornou-se música, tornou-se canto. Foi um feliz encontro, o nosso. Creio que vale a pena conservar o entrelace que somos, ele e eu", declarou o escritor no prefácio ao *Catálogo das obras* do músico, publicado pela Ricordi em 1995.[1] E numa carta enviada, juntamente com a mulher, Pilar, a Corghi em Julho de 2001 por ocasião da composição de *Cruci-verba*, Saramago confidenciou-lhe com gratidão: "Não sei como lhe agradecer por tudo o que você fez (e continua a fazer), elevando a minha literatura ao céu da música [...] Temos plena consciência de ter vivido, graças ao seu trabalho e à sua amizade, momentos que se inscrevem entre os mais belos da nossa vida".[2]

Com *O dissoluto absolvido* Corghi e Saramago encontraram-se para enfrentar uma teatralidade de novo tipo e contudo não completamente estranha aos seus respectivos trajetos pessoais. A ópera foi encomendada a Corghi pelo Teatro alla Scala de Milão em 2003 e concebida por Saramago em resposta a uma solicitação precisa do músico. A própria gênese de *O dissoluto absolvido* decorreu, por isso, na base de um diálogo cerrado entre escritor e compositor. Da progressiva e trabalhada elaboração dos dois textos — o teatral de Saramago e o libretístico, fixado por Corghi, mas ratificado pelo escritor português —, dá testemunho uma abundante correspondência, trocada entre novembro de 2003 e outubro de 2004, através do novo meio de comunicação "em tempo real", o correio eletrônico.

A possibilidade de seguir *in progress* a elaboração de *O dissoluto absolvido* permite não só conhecer por dentro uma relação de grande intensidade afetiva e intelectual, que não evita o confronto e a ironia, mas também entrar nos "laboratórios" privados dos dois artistas e descobrir na gênese desta ópera da autoria de ambos alguns dos aspectos mais significativos das respectivas pesquisas. As cartas de Corghi são todas em língua italiana, enquanto Saramago escreve a maior parte das vezes em francês, uma vez por outra em espanhol ou em português. O texto teatral original de *O dissoluto absolvido* é em língua portuguesa, e a versão italiana foi, de novo, confiada a Rita Desti, preciosa intermediária — com seu trabalho de tradução — nos momentos de debate mais intenso entre os dois artistas. Como aqueles em que a relação epistolar, reforçada pela urgência da discussão, se tornou tão intensa que deu lugar a seis cartas num só dia: como aconteceu em 20 de maio e 29 de junho de 2004, coincidindo com marcos fundamentais no complexo percurso de elaboração da ópera.

Uma primeira missiva relativa a um possível projeto data de 7 novembro de 2003, quando Azio Corghi comunica a Saramago ter recebido do diretor artístico do Scala a encomenda, para a temporada de 2005, de "um 'ato único' para juntar à escandalosa ópera *Sancta Susanna* de Hindemith": "Lembrei-me imediatamente", prossegue Corghi, "de você ter me falado, na sala do Auditório de Santa Cecília, da idéia de escrever um libreto sobre *A verdadeira morte de Don Giovanni*. Ainda te interessa? Penso numa história que se inicia com o convite ao Comendador para a ceia, provavelmente só com homens em cena (também porque na *Sancta Susanna* só tem mulheres) [...]". A resposta de Saramago é confiada, no dia seguinte, à mulher: depois de ter manifestado "a alegria que nos deu a notícia",[3] Pilar faz saber a Corghi que o escritor está empenhado na finalização do seu *Ensaio sobre a lucidez* e que só depois da conclusão do romance poderá dedicar-se à nova ópera. Uma mensagem pessoal de Saramago chega em primeiro de dezembro e deixa entrever já a idéia que o escritor faz do "novo 'Don Giovanni'":

A idéia de um novo "Don Giovanni" interessa-me muitíssimo, ainda que neste momento não possa pensar em nada mais senão no romance em que estou a trabalhar. Se tudo me sair bem até o final, conto poder terminá-lo nos primeiros dias de janeiro. A seguir terei que rever as provas, a seguir terei que fazer as viagens de "promoção", e então ficarei mais ou menos livre. A minha idéia é que Don Giovanni, ao contrário do que sempre se diz, não é um sedutor, mas antes um permanente seduzido. A simples presença de uma mulher perturba-o. Mas isto não é o importante. O importante é a dignidade de quem é capaz de dizer NÃO quando não só a sua vida mas também a salvação da sua alma se encontram em perigo. É certo que Don Giovanni é um fraco com as mulheres, mas "compensa-o" bem com a sua força ética no momento em que é tentado pela facilidade hipócrita do perdão. Estamos perante um paradoxo: Don Giovanni, o sujeito imoral por excelência, é um homem fiel à sua própria responsabilidade ética. Eis o que gostaria de ver salientado no texto.[4]

Fiel à sua posição fundamental nos confrontos com todas as "verdades" constituídas, Saramago pensa numa releitura do "mito" de Don Giovanni, que — como já sucedeu com outras obras suas sobre a história ou o Evangelho — quer provocatoriamente "reescrever": para pôr em discussão as versões "oficiais" e as leituras simplistas e para consubstanciar uma nova, e alternativa, visão do mundo. O próprio Saramago, numa carta de 12 de Janeiro de 2004 em que anuncia ter terminado o *Ensaio sobre a lucidez*, confirma indiretamente — fazendo referência ao *Evangelho segundo Jesus Cristo* — a continuidade dessa abordagem, relativamente às obras literárias precedentes:

Acabo de terminar finalmente o meu *Ensaio sobre a lucidez* e para o fazer precisei de fechar todas as portas que dão para o mundo exterior. Eis-me agora livre para te dizer que me encarregarei com todo o gosto de um texto sobre a morte de Don Giovanni (já tínhamos uma morte de Lázaro...) a respeito do qual a idéia condutora ainda não está bem clara na minha cabeça, mas isso virá.[5]

Na carta de 2 de março de 2004 o escritor português demonstra ter já amadurecido um primeiro esboço do argumento. Corghi propusera-lhe conceber a nova ópera a partir da cena final do *Don Giovanni* de Mozart e limitar-se à utilização de "três personagens masculinas (Don Giovanni, Leporello, o Comendador) e o Coro". Saramago discute o problema do "sentido" de tal operação:

> Você há de concordar comigo sobre a impossibilidade de escrever qualquer coisa de novo a propósito de Don Giovanni. Será que ainda haverá lugar para uma abordagem que, sem voltar completamente as costas às expectativas "legítimas" do espectador que conhece a história, seja capaz de abanar o *déjà vu*? De o abanar ao menos um pouquinho?
> Você me disse que tinha necessidade para a nossa ópera dos seguintes papéis: Don Giovanni, o Comendador, Leporello e também um Coro. Para fazer o quê? Eis o grande problema. O fato de essas personagens serem as mesmas da cena final de Lorenzo da Ponte obrigaria a glosar mais uma vez (e a um nível muito inferior...) a queda e a condenação de Don Giovanni aos infernos.
> A minha idéia é um pouco mais complexa. Haverá um "Coro" mas será reduzido a Dona Anna, Dona Elvira, Don Ottavio e Masetto. O Comendador estará lá, Leporello também. Que querem eles? A única maneira de "vencer" Don Giovanni é negar, contra toda a verdade, as suas vitórias amorosas: Don Giovanni é um mentiroso, não seduziu uma única mulher em toda a sua vida. E quando o pobre Don Giovanni, para se defender, para se justificar, ordena a Leporello que exiba o famoso catálogo, vê-se que todas as suas folhas ficaram em branco... Eis, pois, o nosso Don Giovanni ven-

cido, humilhado, desprezado. O sarcasmo cai sobre ele como uma maça, os bem-pensantes triunfaram. Mas...

Mas há alguém que chega. É Zerlina, a moça camponesa que Don Giovanni não teve tempo de seduzir, ela chega para repor as coisas da vida no seu lugar, por sua própria vontade ela será a sedutora... Deitam-se, vão fazer amor. A estátua do Comendador desfaz-se em pedaços. Cai o pano.

Que lhe parece? Crê que se poderá trabalhar nessa direção?[6]

As hipóteses de trabalho de Saramago interessam a Corghi, que se mostra consciente do desafio lançado pelo escritor: "repensar" ironicamente um dos mitos mais radicados do imaginário da cultura européia, do qual Mozart nos legou uma interpretação ambígua e problemática na sua ópera mais ousada e complexa. "O seu projeto é 'perigoso', mas fascinante", admite numa carta de 7 de março de 2004, "e, se eu conseguir encontrar o 'ritmo justo' graças ao seu texto, o resultado pode ser divertido (mas mais próximo do tom do *Falstaff* do que do da ópera-bufa). Portanto, vale a pena correr o risco". O músico orienta-se assim para uma ópera distante das paisagens trágicas e devastadas de *Blimunda* ou *Divara* e da sua sonoridade lívida, que lembra a lição expressionista, e imagina *O dissoluto absolvido* "mais próximo do tom" da derradeira obra-prima operística de Verdi, que com superior ironia apresentou no *Falstaff* uma "leitura implacável do jogo da vida, da constante convivência, nesta, do sério e do burlesco, do trágico e do ligeiro, do sublime e do vulgar".[7]

Definida a "tinta" fundamental da nova ópera, Corghi começa a definir as bases da dramaturgia musical e faz a Saramago diversas propostas. Sugere a introdução de um

Prólogo em que Leporello cante a sua famosa ária "do catálogo": "Substancialmente", escreve, "devemos tornar compreensível a reviravolta de um arquétipo cultural (o mito de Don Giovanni) aceitando de saída o *déjà vu* (ária de Leporello) a fim de evidenciar melhor a sua primeira idéia". E pensa em traduzir musicalmente a figura do Comendador ("É um monumento à hipocrisia?", interroga-se) com um "coro masculino", que valorize por contraste "a 'feminina' entrada em cena da 'humilde' Zerlina". Também essas resoluções de Corghi estão na continuidade da sua pesquisa dramatúrgica: aquilo em que pensa é na possibilidade de criar um jogo de refrações e remissões para a partitura do *Don Giovanni* mozartiano, retomando aquela reapropriação "crítica" do passado musical que caracteriza o seu modo de compor[8] e que encontra correspondência no olhar "oblíquo" com que Saramago afronta as grandes questões levantadas através do seu engajamento literário. Por outro lado, ao confiar a "voz" do Comendador a um "coro masculino", o compositor propõe-se a tomar distâncias para com o universo representado na ópera. Renova assim a irrenunciável tendência para um teatro de tipo "épico"[9] em que o autor afirma a sua "presença estética" tanto no plano lingüístico como no "ideal": mediante o emprego de processos de escrita que lhe são diretamente reconduzíveis, Corghi comunica a sua própria posição sobre os eventos desenrolados em cena e ao mesmo tempo torna evidentes "os métodos que estão na base da criação da ópera",[10] permitindo ao ouvinte partilhar da complexa riqueza do processo compositivo e conferindo ao próprio teatro uma dimensão auto-reflexiva tipicamente do século XX.

Resta uma dúvida a Corghi quanto às "páginas em branco" do catálogo de Leporello: "apagadas de que modo e por quem?", pergunta ao escritor. Num primeiro momento Saramago prevê — na carta de 12 de março de 2004 — que os "nomes do catálogo de Leporello [...] desapareçam muito simplesmente, sem intervenção de ninguém. Para ser mais preciso, eles não desaparecem, jamais foram escritos. É tudo uma ilusão. Creio que é possível fazer-se um Don Giovanni um pouco borgiano, um pouco kafkiano...";[11] parece, pois, conjecturar uma vida levada sobre o fio do absurdo, indo de encontro à idéia de um Don Giovanni "iluminista" evocada por Corghi no início do projeto do Teatro Scala. Mas já no "resumo" do texto dramático que envia a Corghi a 29 de março, e que Rita Desti se apressa logo a traduzir para o músico, o escritor atribui a Dona Elvira a responsabilidade da substituição do catálogo de Leporello por um "livro" em que "nada está escrito". O entrecho da ópera segue assim uma outra trajetória, e a eliminação das provas das seduções do protagonista é apresentada como uma vingança de Dona Anna e Dona Elvira, que inexoravelmente se atiram contra Don Giovanni para o condenar a um "inferno" completamente terreno, desvinculado das dimensões metafísicas que Mozart tinha condensado na condenação final do "dissoluto" impenitente. A laicização do universo de *Don Giovanni*, a reintegração dos temas essenciais da responsabilidade moral, da culpa e do castigo no horizonte existencial da pessoa humana acabam por constituir, portanto, um nó central da releitura saramaguiana do mito: "Esta cena", afirma o escritor referindo-se à primeira cena do seu texto teatral, "- retoma o choque final entre o Comendador e Don Giovanni, quando este, na versão de Lorenzo da Ponte, é precipitado no inferno. Na nova versão, porém, não haverá inferno algum onde cair. No máximo, uma pequena e ridícula chama que se extinguirá de imediato [...]".

O esboço de *O dissoluto absolvido* que Saramago submete a Corghi antes de ter se lançar ao trabalho prefigura amplamente a versão definitiva do texto teatral. No *incipit* do seu "resumo" o escritor declara acolher a proposta — feita pelo músico — de um Prólogo centrado na dapontiana ária "do catálogo", que será recuperada em ambas as partes que a compõem: a correspondente ao *allegro* e a correspondente ao subseqüente *andante con moto*, na partitura de Mozart. E Saramago prevê ainda a possibilidade — sempre no Prólogo — de a figura de Dona Elvira ser substituída por um "manequim feminino": o que é talvez um reflexo daquela problemática do "duplo" que constitui outro dos temas presentes na produção literária do escritor português (basta pensar no recente *O homem duplicado*), e que permitirá, por sua vez, ao músico explorar o jogo de espelhos entre a figura de Dona Elvira e o "manequim", para construir o seu próprio percurso dramático.

Não obstante dispor ainda somente daquilo que na ópera italiana do século XIX era definido como *la selva* (designando o esboço do argumento), Corghi se põe a trabalhar e começa a imaginar a grande arcada sobre a qual tenciona construir a arquitetura musical da ópera, e que deverá assentar em duas colunas: o Coro introdutório e o conclusivo. Em 7 de maio comunica ao escritor:

[...] tinha uma enorme necessidade de "palavras" para o Coro Introdutório e para o Coro Final. Permiti-me criá-las parafraseando uma poesia sua: "Aprendamos o rito". O jogo que pretendo fazer, em língua italiana, é entre "rito" e "mito"

101

ou seja *"apprendiamo il rito"* contraposto a *"distruggiamo il mito"* [destruamos o mito] [...] E depois ainda me vêm à mente tantas outras coisas (como a especulação fonética sobre as palavras *"dissoluto"* e *'assolto"* [absolvido] ou o espelho entre interrogação? e exclamação!) que lhe envio em anexo. Diga-me se posso continuar assim [...] .

Saramago reage com surpresa à proposta de reempregar no *Dissoluto* outro texto poético seu, distante daquele argumento delineado para a ópera; um tal procedimento é absolutamente congenial ao músico, sempre propenso a ressuscitar numa composição outras idéias e materiais temáticos, não raro plenos de alusões metafóricas. "Parece-me bem o aproveitamento do poema 'Aprendamos o rito'. Nunca imaginei que pudesse servir para este caso",[12] comenta o escritor na resposta de 10 de maio. E exprime uma concepção linear da trajetória dramática, que não pertence à sua inquieta escrita narrativa, retalhada por contínuas deslocações dos planos temporais, mas que caracteriza a sua abordagem do teatro declamado:

A minha maneira de trabalhar não me permitirá dar "saltos" na acção dramática. Preciso absolutamente de seguir o fio dos acontecimentos por considerar que cada situação terá forçosamente de sair da anterior para encontrar o modo de entrar na seguinte. Peço-te portanto que tenhas paciência. Antes de chegar à última fala não poderei dizer-te qual é a penúltima.[13]

Por seu lado, Corghi move-se segundo uma lógica compositiva diferente, ditada pela necessidade de "reconstruir o sentido [do texto dramático] na articulação formal, lógica, discursiva, de um meio artístico — a música — dotado de razões, faculdades e dificuldades próprias":[14] tende a elaborar uma visão de amplo alcance da estrutura global deste Ato único e propõe-se construir uma densa rede de relações internas na ópera, através da idealização e da retomada de temas com relevância simultaneamente musical e dramática.

Saramago está agora em condições de avançar com a redação do texto. De fato, em 11 de maio envia o Prólogo, "um pouco mais longo do que eu previra, mas que, se me não engano, funciona bastante bem",[15] e dois dias depois a primeira cena, que considera "muito importante porque será ela a dar o 'tom' de todo o resto da intriga".[16]

Mal o texto de Saramago — passando pela tradução de Rita Desti — chega à sua escrivaninha, Corghi encontra a direção comum: "Saberei te dizer rapidamente como 'montarei' o libreto definitivo, parte por parte", avisa em 14 de maio. E é interessante a utilização da idéia de "montagem", que reaparece várias vezes nas sucessivas cartas de Corghi. Com efeito, desde *Blimunda* que o músico tem recorrido a processos de composição que apresentam indubitável semelhança com as operações usadas na arte cinematográfica e lhe permitem criar uma pluralidade de perspectivas e correspondentes horizontes sonoros: a presença simultânea de múltiplas dimensões teatrais surge — com soluções por vezes diferentes — em todas as composições de Corghi e parece constitutiva do seu modo de trabalhar, envolvendo todos os materiais postos em jogo no complexo hipertexto que é a ópera.

A reflexão sobre o texto de Saramago determina importantes ajustamentos no desenrolar da composição. Em 19 de maio, Corghi informa o amigo das decisões que estão amadurecendo:

> À medida que leio o seu libreto ganha corpo a idéia de que o Coro será uma entidade abstrata, uma voz que comenta e que ironiza: não o Comendador!
>
> Visto que Leporello se identifica com o amo, ao ponto de roubar-lhe a *Canzonetta*, pensei em — na segunda parte da sua ária — Leporello tocar o bandolim (obviamente realizado pela orquestra, mas querendo... também podia ser ele a tocá-lo). Amanhã te digo mais.
>
> Ah! Ia me esquecendo: pensei num "vento caluniador" (acompanhando o Coro Masculino) que traz consigo a ária "*la Calunnia è un venticello*" [a calúnia é uma brisa] de Rossini.
>
> Pois bem, será casual, mas: a ária de Leporello, a *Canzonetta* de Don Giovanni e a ária "da calúnia" estão na mesma tonalidade (ré maior). Às vezes, as contas dão certo!"

Muitos aspectos da composição estão, pois, terminados. Cada vez mais o Coro se configura, para Corghi, como "uma entidade abstrata, uma voz que comenta e que ironiza: não o Comendador!". Como já acontecera com os coros "madrigalísticos" de *Blimunda*, *Rinaldo*, *Tat' jana*, também nesse caso o músico se cinge ao emprego do coro num espaço "imaginário" disposto "visivelmente *fora* do espaço cênico com técnicas e artifícios que o tornam estranho ao espaço real".[17]

Assim, o compositor pensa em sobrepor ao Coro a citação de um fragmento da ária "da calúnia" cantada pela personagem de Don Basilio no *Barbeiro de Sevilha* de Rossini: o recurso a uma das árias mais famosas da célebre ópera rossiniana permite-lhe apelar para a memória musical dos ouvintes, predispondo-os desde o início da ópera a interpretar as vicissitudes de Don Giovanni como resultado de um ato de difamação, como conseqüência de um implacável embuste.

Por fim, Corghi pensa apresentar Leporello com o bandolim na mão e atribuir-lhe musicalmente (na segunda parte da sua ária) o acompanhamento da "*canzonetta*" que, no *Don Giovanni*, é cantada pelo protagonista à maneira de serenata, numa das suas tantas "investidas" de sedutor; a intenção é a de reforçar na percepção dos espectadores a idéia — sugerida também por Mozart na sua partitura — de que o servo se identifica plenamente com o amo num inconsciente processo de *transfert* [transferência], que tornará Leporello renitente em aceitar a transformação final de Don Giovanni, a sua profunda mudança interior.

A carta de Corghi, todavia, inquieta Saramago. Apreensivo, o escritor replica algumas horas depois da chegada da mensagem em sua caixa postal. Manifesta o receio de que o texto teatral possa perder na partitura do compositor o seu "sentido" original e reclama a necessidade de os dois "discursos" da ópera — o literário e o musical — manterem uma relação de coesão no plano dos significados fundamentais:

Estou trabalhando agora na quarta cena, que espero terminar amanhã. A sua mensagem de hoje provocou-me uma certa perplexidade. É o fato de você falar do Comendador como se ele fosse o Coro, quando ele é uma verdadeira personagem até o fim da comédia. Começo a pensar que o meu texto não "colará" àquilo que você tem em vista. É preciso que Rita Desti avance depressa na tradução (não é longo, não é com-

105

plicado). Você só tem o Prólogo, e o Prólogo não é nada ao lado de tudo quanto vem depois. O meu texto é uma história em que as personagens vivem os seus conflitos e as suas contradições. Será que tudo isso ainda estará lá quando terminar o seu trabalho? Compreendo bem que o texto existe para servir a música, mas não deve ser reduzido a um pretexto. É preciso que possas ler toda a história com urgência, senão nos arriscamos a cair numa situação insustentável em que haverá duas narrativas (a musical e a literária) que nada terão a ver uma com a outra. Confesso que estou muito inquieto.[18]

Ao reivindicar a plena autonomia e dignidade do "seu" texto teatral, para além do destino musical, Saramago pretende que se mantenha a fisionomia da própria "história em que as personagens vivem os seus conflitos e as suas contradições": quer continuar vinculado a uma teatralidade entendida como confronto, e choque, de individualidades concretas e claramente definidas e não considera aceitável a "despersonalização" da figura do Comendador, que viesse a ser determinada pelo emprego do Coro. No dia seguinte, 20 de maio, Corghi tranqüiliza o escritor. Na realidade o músico já tinha colhido *no* texto literário essa exigência de Saramago e tratado de separar o Coro da figura do Comendador:

Foi isso mesmo que intuí, caro José!
Talvez não me tenha expressado claramente quando escrevi: "À medida que leio o seu libreto ganha corpo a idéia de que o Coro será uma entidade abstrata, uma voz que comenta e que ironiza: não o Comendador!".
Na verdade, o Comendador é uma personagem. O Coro fará

parte do "vento musical" que retoma fragmentos sonoros do texto (ou o sublinha ironicamente).

Enfim, o Coro pode só comentar externamente: o seu Coro será o formado por Elvira, Anna, Ottavio e Masetto. O meu — o das referências musicais — será o Coro masculino (que ficará muito bem fora de cena). Portanto, estamos perfeitamente de acordo. Envio esta noite o texto do Prólogo a você (montado para a música).

Corghi reconduz expressamente a "voz" do Coro masculino à sua própria responsabilidade "estética": "O meu coro", declara, é "o das referências musicais", dadas pelas diversas "citações" introduzidas na partitura. Graças a essas invocações, e aos significados que geram, o Coro assume uma função dramatúrgica fundamental e surge como presença metatextual, fazendo-se porta-voz da intrusão divertida e dessacralizante do autor e determinando um descompasso de perspectiva nos confrontos do desenvolvimento dramático.

À personagem do Comendador o compositor dará voz de outro modo, ligando o seu tema ao madrigal *A un dolce usignolo* [A um doce rouxinol] de Adriano Banchieri, que faz parte da *"commedia madrigalistica" Il festino della sera del giovedì grasso avanti cena* [A festa da noite de sexta-feira gorda antes da ceia]. Já usado por Corghi na *Rapsodia in Re(d)* (1998), o tema quinhentista reveste do espírito "carnavalesco" de *Gargântua* a burlesca desentronização do poder, que Saramago completa com o perfil irrisório desse medíocre representante dos valores dominantes: na sua imponente aparição como "estátua de bronze" o Comendador é impotente para dar a sua própria lição moral e punir com a maldição o "libertino" culpado. De grande eficácia teatral é em particular a idéia saramaguiana dos "fogos-fátuos do Comendador" (como os define Corghi numa carta subseqüente de 24 de Junho), as chamas que deviam escancarar a Don Giovanni "as portas da morada do demônio" e que se revelam clamorosamente insuficientes para desencadear os terrores escatológicos suscitados na época do cristianismo medieval (ao qual, e não por acaso, se reconduz a origem do mito de Don Giovanni).[19] Corghi os restituirá musicalmente recorrendo a um dos *topoi* mais desgastados da tradição melodramática, o uso "ameaçador" dos tímpanos e da folha de latão para a figuração sonora de eventos atmosféricos "medonhos": o inferno evocado pelo Comendador transforma-se assim num jocoso "espantalho cômico",[20] diante do qual Don Giovanni pode erguer-se com orgulho proclamando a sua própria rebelião ética, afirmando a sua própria condição de homem liberto dos sufocantes constrangimentos da boa conduta conformista e das convenções sociais, e capaz de incorporar os seus próprios princípios morais.

"Você me deixou mais tranqüilo, agradeço-lhe infinitamente",[21] escreve de imediato Saramago ao músico, que com os seus esclarecimentos soubera desfazer a sua perplexidade; mais tranqüilo, o escritor português trabalha a toque de caixa. "Trabalhei com alegria. É engraçado, isto",[22] nota na mesma carta de 20 de maio, e poucas horas depois — já noite avançada — pode anunciar a Corghi a conclusão do seu trabalho com uma exaltação que se manifesta também no alegre jogo da rima: "Vitória, vitória, acabou-se a história!".[23] O testemunho passa então para o compositor, que pode intervir na versão italiana do texto teatral, fornecida

em tempo por Rita Desti, para adequar a escrita de Saramago
à sua própria tradução dramático-musical.

Numa das missivas do movimentado dia 20 de maio, Corghi submete a Saramago "o libreto do Prólogo que montei e que amanhã (cinqüenta páginas de partitura) entregarei ao editor. Espero que esteja de acordo". Saramago responde no dia seguinte, aprovando integralmente a operação conduzida pelo músico: "O 'dissoluto' começa bem. Você rachou a ária do 'catálogo' e isso pareceu-me muito boa idéia",[24] registra com prazer.

As "rachaduras" da ária "do catálogo" a que se refere o escritor são duplas. Por um lado, a ária de Leporello é distribuída entre o servo de Don Giovanni e o "manequim feminino que representa Dona Elvira" e é transformada numa espécie de dueto, adquirindo um *ductus* mais ágil e rápido. Por outro lado, é introduzido o Coro masculino a quem é confiada a "pronúncia" do título da ópera, submetido a processos de desarticulação dos fonemas — com ênfase nos "ss" sibilantes — que produzem efeitos de "estranhamento". Com a sua "alteridade" de linguagem relativamente à das personagens, o Coro age num plano teatral sobreposto ao plano propriamente cênico e contribui para a ação desmistificadora conduzida por Saramago quanto aos acontecimentos representados. Além disso, o jogo de interrogações e exclamações com que Corghi restitui a pronúncia de *O dissoluto absolvido* insinua de imediato uma dimensão dubitativa: desvanece-se a idéia — no fundo tranqüilizante — de que se vai assistir a uma mera reviravolta do "mito" originário, e a dúplice versão do título (*"Il dissoluto è assolto? No, è punito!/ Il dissoluto è assolto! Non è punito?"* ["O dissoluto é absolvido? Não, é punido!/ O dissoluto é absolvido!

Não é punido?"] predispõe a uma aproximação problematizante da peripécia que nos prepara para a cena seguinte.

Entretanto, a tradução integral do *belissimo Dissoluto* (Rita Desti em carta de 14 de junho) chega à mesa de trabalho de Corghi e o músico comunica-o a Saramago:

> Caro José, ontem à noite, à hora tardia, recebi a esplêndida tradução do nosso "Dissoluto absolvido" feita pela Rita [...] mas só esta manhã li rapidamente (de um fôlego) o seu texto. Percebi finalmente os "matizes" tal como a sua forma "musical" que vai das recorrências às variações temáticas: é osso duro de roer! Em certos pontos parece até que, à distância, pensamos as mesmas coisas em conjunto, trocando de papéis. Outras vezes digo para mim que isso não era possível, mas desta vez sucede qualquer coisa de novo que vai nessa direção.
>
> Obviamente que lhe enviarei a minha adaptação conforme as exigências do libreto e você me dirá se está de acordo ou não.

Em 24 de junho o músico consegue transmitir ao escritor a primeira cena e anuncia-lhe ter feito diversos cortes no texto original, "devido sobretudo a exigências de caráter rítmico-musical". Corghi continua a trabalhar simultaneamente no libreto e na música: "Caro José, que trabalho imenso vou ter de enfrentar", confessa, "mas estou contente porque, à medida que componho, fica cada vez mais claro para mim o aspecto da forma musical".

As intervenções de Corghi sobre o texto literário da primeira cena são relevantes. Além dos cortes, que favorecem uma maior concentração dramática, o músico acentua, com repetições calculadas, situações já presentes em Saramago:

como o aviltamento parodístico da autoridade do Comendador, cuja entrada em cena — com a insistente afirmação "Aqui estou" — já não comporta qualquer das terríficas ressonâncias ultraterrenas da figura mozartiana; ou como o tom cético e amargo do protesto de Don Giovanni, cheio de raiva reprimida, na réplica do cáustico "virtuosos sois", assente no texto de Saramago. O Coro afirma, pois, plenamente a sua presença com inserções todas elas do punho do compositor: comenta com exclamações sonoras e trocistas as vãs tentativas do Comendador de condenar Don Giovanni ao fogo eterno; cita com o seu "Do Comendador aprendamos o rito", a poesia de Saramago ("Aprendamos o rito"), que Corghi já tinha referido ao escritor; declama em *Sprechgesang* [canto falado] a evocação de uma presença obscura, que condensa todas as coações que oprimem e ameaçam a dignidade da pessoa humana ("Comendador... é algo que não vedes, mas intuis").

Nesta primeira cena, o compositor introduz o tema musical associado a Don Giovanni: a proveniência deste tema de cantos populares da Emilia Romagna — já recuperados no bailado dedicado a Mazapegul, o inquieto diabrete cujas travessuras amorosas são evocadas em tantas histórias rústicas — não é casual, antes tem profunda ressonância no itinerário existencial e no imaginário artístico do músico. Precisamente graças à riqueza da cultura popular e das suas tradições musicais, Corghi conseguiu redescobrir no *Gargantua* o valor da palavra "significante" e escapar da aridez do estruturalismo, recuperando o sentido e a responsabilidade ética da "comunicação". A origem étnica dos dois cantos "de aboiar" que constituem o tema de *Don Giovanni* combina-se, além disso, com a raiz emiliana do compositor, com a partilha de uma cultura rural fundada na alegria da corporalidade, da fruição dos prazeres terrenos, na espontânea recusa de qualquer refúgio na transcendência. É uma visão do mundo que humanisticamente reivindica uma "nova seriedade audaz, livre e humana"[25] já celebrada por Corghi na releitura de Rabelais e que o músico reconduz à figura do pai: a dedicatória de O dissoluto absolvido ao pai, falecido aos noventa anos, parece-lhe a melhor maneira de recordá-lo, bem mais adequada do que "um 'réquiem' qualquer em memória". "Ele amava a vida através da admiração da beleza", recorda o compositor, "e, tirando as conseqüências desta releitura que humaniza o mito de Don Giovanni, achei finalmente as razões para uma dedicatória ad hoc."

"O prólogo e a cena primeira parecem-me excelentes. Está lá o essencial das minhas propostas relativas às situações e aos diálogos, a ação permanece fluida, por isso a minha satisfação é completa",[26] nota em 25 de junho Saramago, que mostra assim o seu apreço pela capacidade de o músico encontrar o "justo" ritmo dramático — conciso e dinâmico — e aprova os cortes, que não afetam "o essencial das minhas propostas relativas às situações e aos diálogos".[27] Nessa carta, o escritor responde ainda a Corghi quanto à questão, que este colocara, da atribuição conjunta da autoria do libreto:

> Quanto ao título, se você não vir qualquer obstáculo incontornável, a minha preferência vai para o "modelo" Blimunda, em que o libreto apareceu com duplo autor, isto é, você e eu. A sua generosidade quis então dar-me um lugar ao seu lado, e você é que tinha feito todo o trabalho... Penso que a minha participação na tarefa que nos ocupa agora (o nosso "disso-

luto") justifica, por motivos redobrados, a permanência da dupla de autores do libreto. Eis, com toda a franqueza, como é hábito, a minha opinião.[28]

Saramago faz referência às experiências teatrais precedentes em colaboração com Corghi, que constituem um caso particular de *Literaturopern*, isto é, óperas compostas diretamente sobre textos literários: nos frontispícios, seja de *Blimunda*, seja de *Divara*, os "libretos" são atribuídos a ambos os artistas, no reconhecimento do seu comum empenho de reflexão sobre a dimensão mais especificamente dramático-musical das duas obras. No caso de *O dissoluto absolvido* — "o nosso 'dissoluto'", reclama Saramago — a dupla assinatura do texto libretístico ("Libreto de Azio Corghi e José Saramago" é o que está escrito na partitura) parece ainda mais justificada, pois tanto a versão teatral originária como a destinada à música foram concebidas e elaboradas sob o impulso de um diálogo ininterrupto — simultaneamente artístico e humano — entre os dois responsáveis pelo espetáculo operístico.

Disso é testemunho, aliás, a intensa troca de idéias que ocorre pouco depois, a 29 de junho, outra jornada frenética no laborioso itinerário da obra. Corghi transmite a Saramago a quinta cena, na qual trabalhara antecipadamente "para firmar a arcada temática geral". O músico decidira antecipar o diálogo entre Masetto e Leporello, com que se conclui o texto teatral de Saramago, e colocá-lo "em simultaneidade com o encontro entre Don Giovanni e Zerlina" de tal modo que "o colapso da estátua do Comendador feche a ópera". Essa "simultaneidade dos eventos que devem ocorrer no final (sedução, regresso de Masetto e Leporello, explosão da estátua)" leva-o a inserir, desde a primeira cena, "um 'divã da época' na penumbra" e sobretudo a modificar a conclusão programada pelo escritor. Se Saramago imaginava pôr fim ao único ato com a triste saída de cena de Masetto, Corghi concebe um final mais movimentado: "A estátua do Comendador explode em mil pedaços", lê-se na última rubrica cênica, "Masetto foge amedrontado enquanto Leporello entra sorrateiramente, apanha o novo Catálogo e se prepara para escrever [...]". A reação do escritor é imediata:

> É bom e mau. Bom, porque isso funcionaria perfeitamente na lógica do que parece ser a sua interpretação do texto, mau porque a minha intenção, na hora de escrever, era completamente diferente.
>
> De acordo com a sua idéia, no fim, Masetto vai escrever no "novo catálogo" o nome de Zerlina. Mas você se esqueceu de que aquilo que chama de "novo catálogo", isto é, o livro de páginas brancas, foi queimado [...]. Tal "auto-de-fé" significa que, para Don Giovanni, vai começar outra vida. Acabaram-se os catálogos com os nomes das mulheres. No lugar de Don Giovanni vai nascer Giovanni, outro homem, que o amor perdoou. É por isso que o "dissoluto" se tornou "absolvido". Na sua interpretação tudo vai continuar como dantes. Não posso estar de acordo. Decidimos criar um novo Don Giovanni, e não uma reedição do Don Giovanni de toda a gente. [29]

Saramago alude à sua idéia pessoal da "morte" de Don Giovanni, em torno da qual construiu a *pièce*: é uma morte simbólica, que ocorre na profundidade da psique e que dá lugar a um renascimento no sentido da libertação do peso do "mito". É lida nesse sentido a supressão — confiada a Zerlina — daquele título de "Don" que o escritor interpreta como a verdadeira e própria "sigla" da imagem arquetípica do "sedutor" e que Corghi trata musicalmente — por sugestão onomatopaica — com o dobre dos sinos tubulares, fazendo sua a intenção desmitificadora de Saramago. Transformado tão-só em "Giovanni", o protagonista liberta-se do ícone sobre o qual construiu a sua própria identidade, agora pode ser simplesmente ele mesmo e abrir-se a uma autêntica relação de amor.

Ciente da discordância de Saramago, o músico replica prontamente, para precisar a sua posição:

> Você tem razão, caro José, em pensar desse modo, sobretudo se aceitarmos o princípio de que pode iniciar-se outra vida para Don Giovanni. Mas eu imaginei que o Catálogo de Dona Elvira (o das páginas em branco) fosse compilado, desta vez, por Leporello (não por Masetto), que inconscientemente desejaria que o amo voltasse a ser o Don Giovanni de sempre.
>
> Talvez não tenha conseguido ser claro no meu propósito. Não é Don Giovanni quem registra, no Catálogo de Elvira, a conquista de Zerlina, é Leporello quem finalmente — só por escrito — consegue substituí-lo. A idéia de que Leporello admira as conquistas do amo (a ponto de ser obrigado por este a usar as suas vestes) tornou-se um lugar-comum no campo da musicologia tradicional. Desejaria deixar uma margem de "dúvida" ou, ao menos, de ambigüidade quanto a este ponto. Estaremos bem seguros de que um Don Giovanni pode "mudar de pele" definitivamente? [...] Se não

estiver de acordo, pode-se muito bem evitar o gesto de Leporello escrever o nome de Zerlina no catálogo e encontrar uma solução diferente. Eu gostaria, todavia, de saber o que você acha de uma coisa: que pensa da organização formal da cena?

Hoje repensarei o final com outras possibilidades, a fim de encontrar um ponto de convergência.

Sem esperar pela resposta, o compositor modifica o final e decide regressar à primitiva idéia de Saramago:

Pensei que se podia mudar o gesto final de Leporello retomando aquele que você indica na sexta cena. Em vez de apanhar o "catálogo em branco" de Elvira — abandonado por Don Giovanni no chão — para escrever nele, Leporello apanha-o para o lançar nas chamas do fogão. [...] Seria como dizer: "agora o catálogo já não serve". Que me diz disso?

O escritor toma conhecimento com alívio da "correção" decidida por Corghi:

Estou de acordo, sem reserva alguma, com o novo final. E creio mesmo que o ato de queimar o catálogo no fim da função tornará mais clara a mudança psicológica de Don Giovanni. Decerto, eu não apostaria, porém, que tal mudança fosse total... A meu ver, a ambigüidade podia ser salva se acrescentasses à frase final do coro masculino uma interrogação, qualquer coisa como isto: "Por quanto tempo?". É verdade que tenho muito empenho na idéia de que Don Giovanni viveu uma experiência nova para ele, mas bem sabemos até que ponto a carne é fraca... Quanto à organização final da cena, uma só palavra: perfeita.[30]

Em 30 de junho, Corghi faz chegar a Saramago a versão corrigida dos "últimos compassos do libreto": "Aceitei a tua sugestão mas preferi pôr na boca de Leporello (não do Coro) a dúvida sobre quanto pode durar a absolvição". O músico pensa em concluir o ato único com as palavras de Leporello, que — depois de ter lançado o "Catálogo abandonado no chão [...] para as chamas do fogão" — "talvez arrependido do gesto se interroga: '... quanto durará a absolvição?'". Todavia, na versão definitiva da última cena, enviada a Saramago em 23 de agosto, antes da entrega da partitura, Corghi muda de idéia e prefere recorrer à "idéia surreal do manequim" para selar a conclusão da ópera. Enquanto — como dispõe da rubrica cênica — "a estátua do Comendador se contorce e vacila, caindo, despedaçada, ruidosamente", o crescendo e precipitando da orquestra para o tema do Comendador em *fortissimo* restitui o "estranho rumor de ferragem" que acompanha a queda do simulacro de bronze, e o Coro escande a absolvição de Don Giovanni (*"Il dissoluto è assolto"*) sobre um ré repetido que parece o parodístico reverso das inflexíveis injunções da estátua mozartiana. Mas, entre as chamas do fogão, "aparece o manequim de Dona Elvira" que pronuncia — sobre o rossiniano tema da calúnia — os últimos compassos do *Dissoluto* (*"Assolto ma ...per quanto tempo?"*[Absolvido, mas por quanto tempo?]), a que o músico faz suceder o eco da *canzonetta* de Don Giovanni e um instantâneo (e acançonetado) aceno final ao tema do Comendador. A "margem de 'dúvida' ou, ao menos, de ambigüidade" sobre a "nova vida" de Don Giovanni, invocada por Corghi e aprovada por Saramago, é assim afirmada também musicalmente e torna "aberto" o epílogo da ópera, a lembrar que os fantasmas do passado podem voltar, que nenhuma libertação está completa para sempre.

Corghi confirma mais uma vez a sua extraordinária intuição dramatúrgica: é justamente um fantasma do passado, o manequim de Dona Elvira, que o músico introduz também na quarta cena a declamar — "invisível", como "voz que provém do fogão" — fragmentos textuais da ária "do catálogo", enquanto Don Giovanni e Leporello se afligem desesperadamente à procura das provas perdidas das conquistas amorosas do "libertino". Naquela cena crucial, a lenhosa rigidez do manequim é uma figura simbólica de morte, evocada pelo tema que Corghi define "do medo" (derivado de um canto fúnebre popular siciliano), e virá a condensar todas as forças que contrastam com a infinita liberdade e mobilidade da vida, e a sufocam; fazendo-o reaparecer na última cena da ópera, Corghi atribui ao manequim a advertência sobre a frágil regeneração do protagonista e evidencia a respectiva função metatextual, coerente com a concepção de teatralidade do compositor.

Mas, se essa solução é aceita por Saramago, já a proposta — feita por Corghi na referida carta de 23 de agosto — de confiar a uma única intérprete todas as partes femininas de *O dissoluto absolvido* encontra a decidida oposição do escritor. Após ter composto o prólogo e as cenas fundamentais da ópera — a primeira e a quinta — o compositor estava trabalhando nas cenas intermediárias. Decidira "inverter — para obter o mesmo resultado — as soluções concretizadas em *Divara*. Naquela dizia-se: '*gli uomini parlano, le donne cantano'* [os homens falam, as mulheres cantam]. Aqui o exato oposto: na verdade, sobre o fundo dos homens que cantam, existe apenas um 'coro masculino'".

> A certa altura [prossegue Corghi] pensei: e se fosse uma só mulher, a falar por todas? Tendo à disposição uma grande atriz (que também possa cantar), não seria interessante realizar uma peça virtuosística? Seria teatralmente divertido assistir às suas metamorfoses! [...] É claro que tive de levar em conta a dramaturgia do texto original e, particularmente, a quarta cena, o único ponto em que estão presentes duas mulheres.

O músico aventa a possibilidade de contornar tal obstáculo suprimindo naquela cena a personagem de Dona Elvira e confiando as suas palavras a uma carta dirigida a Don Giovanni:

> Se a mesma [carta] fosse lida por uma mulher, não faria qualquer sentido (uma mulher não pode dar voz suficiente à fúria de outra mulher). Se, porém, um homem, o destinatário, ler em voz alta (no nosso caso, cantando) uma carta "intencionalmente destruidora" de uma mulher, então a *"parola scenica"* ganha maior significado. E isso é o que tentarei fazer através da música.

Saramago rejeita resolutamente essa proposta, mais uma vez com base em motivações de natureza artística:

> A meu ver, essa carta faria cair a tensão dramática. O espectador espera uma "grande cena" em que as duas amazonas,

Dona Anna e Dona Elvira, tendo colocado entre parêntesis a sua "rivalidade" (Dona Anna não suportaria a idéia de que Dona Elvira acabasse por se apoderar de Don Giovanni...), põem-se de acordo para o destruir. No meu texto, as mulheres, ambas (e não uma mulher e uma carta), são como harpias que se encarniçam no corpo (ou no espírito) a sangrar do pobre diabo. É preciso que as mulheres — ambas — estejam lá, para que a situação possa chegar a uma espécie de *mise à mort*.

Por outro lado, o espectador sabe que Dona Elvira está lá, por isso a sua ausência feriria a lógica dramática. Se se propõe a execução de um assassinato moral, os carrascos devem estar presentes, e os carrascos, meu caro Azio, são dois, Dona Anna e Dona Elvira, as irmãs gêmeas unidas por uma vontade de vingança. O que elas não sabem é que essa vingança vai desfazer-se em migalhas pela mão de Zerlina. Não é Don Giovanni quem, no final, triunfa sobre Dona Anna e Dona Elvira, é Zerlina... Zerlina, na minha concepção da personagem, não é uma jovem estouvada que decidiu perder desse modo a virgindade porque Masetto é um imbecil. A um nível completamente diferente, creio mesmo que Zerlina é um pouco Divara, um pouco Blimunda [...].[31]

A recusa de Saramago é aceita sem demora por Corghi ("Seja como for, você sabe que não irei em frente sem o seu consentimento", tinha-lhe confirmado), que se convence das razões "teatrais" do escritor. Por sua parte, Saramago aceita a inserção metatextual de um *Intermezzo*, que é encaixado antes da última cena de *O dissoluto absolvido* e que — de *Gargantua* a *Tat'jana* — representa uma constante estilística da dramaturgia musical de Corghi. O *Intermezzo* é confiado somente ao coro masculino *a cappella* (sem suporte da orquestra) e reafirma a dupla perspectiva que o compositor quis conferir à concepção dramatúrgica da ópera. Se, por um lado, o tema dito "do pressentimento" — também ele radicado na tradição popular de Emilia Romagna e apresentado quase sempre em vivos movimentos de dança — prenuncia, com as suas múltiplas recorrências ao longo de *O dissoluto absolvido*, o jubiloso resgate do protagonista, é, por outro lado, a intervenção coral do *Intermezzo* que pressagia o *coup de théâtre* final, após a aparente vitória dos inimigos de Don Giovanni ("Agora, sim, caíste no inferno" — apostrofa-o o Comendador na conclusão da quarta cena). Enquanto o texto, fornecido a Corghi, denuncia a crise de identidade de Don Giovanni perante o desaparecimento dos "nomes das suas belas" ("Quem és tu agora?/ Tu não és uma estátua que fala,/ mas um homem que cala"), a música retoma o tema de Zerlina que, em forma de *berceuse*, é empregado pelo músico desde a primeira cena como luminosa contraparte à "voz" do Comendador. Fazendo-se porta-voz da posição do compositor, o coro prenuncia assim a função libertadora que Saramago, no seu trabalho teatral, atribui a Zerlina: como em *Blimunda* e como em *Divara*, também nesta ópera — aparentemente centrada nos homens — cabe a uma mulher o gesto final que abre a dimensão da esperança e da utopia.

Obra de "teatro musical em um acto", como reza o frontispício da edição da Ricordi, *O dissoluto absolvido* representa ao mesmo tempo um momento de continuidade e de fratura no percurso artístico comum de Corghi e Saramago. Na sua produção musical, Corghi deu espaço à dimensão do divertimento e do jogo, tanto em obras teatrais, como *Rinal-*

do (1997) e *Isabella* (1998), como em composições camerísticas, entre outras, *This is the List* (1996) ou a referida *Rapsodia in Re(d)* (1998); por sua vez, Saramago imprimiu a todos os seus escritos literários a sua ironia trágica, ao mesmo tempo acutilante e desencantada. Todavia, a divertida parábola moral do *Dissoluto* introduz na arte de Corghi e Saramago uma "ligeireza" nova, em que o ceticismo não impede o sorriso, e em que a severa reflexão sobre as misérias humanas não suprime a projeção para o futuro, o sonho de uma terra redimida pela poderosa força de transformação atribuída às mulheres que habitam as suas obras.

Também no plano da escrita *O dissoluto* constitui para ambos os artistas uma ocasião para se defrontarem com novos desafios. Se Saramago se confronta com a dimensão lúdica requerida pela teatralidade "pura" de uma trama construída a partir do *dramma giocoso* de Mozart e Da Ponte, Corghi resiste à complexidade lingüística e estrutural que marca as suas vastas paisagens sonoras e que nos seus momentos de extrema abstração trai a impressão indelével dos princípios estruturalistas. É como se o imenso material musical precedente e o indiscutível ofício do compositor funcionassem nesta ópera como húmus fecundo e, no entanto, oculto, conduzindo-o a uma nova transparência da escrita, que é um legado dos "clássicos".

Notas

1. Sobre a relação artística entre Saramago e Corghi, cf. Graziella Seminara, "The litterary works of José Saramago in the musical theatre of Azio Corghi". *Colóquio/Letras*, janeiro/junho de 1989 (número monográfico especial, "José Saramago: o Ano de 1998", por ocasião da atribuição do Prêmio Nobel de Literatura).

2. Em francês, no original: "*Je ne sais pas comment te remercier de tout ce qui tu as fait (et continues à faire), en élévant ma littérature jusqu' au ciel de la musique. [...] Nous sommes très conscientes d'avoir vécus, grâce à ton travail et à ton amitié, des moments qui s'inscrivent parmi les plus beaux de notre vie*". (N. E.)

3. Em espanhol, no original: "*la alegría que nos dio la noticia*". (N. E.)

4. Em espanhol, no original: "*La idea de un nuevo 'Don Giovanni' me interesa muchísimo, aunque en este momento no puedo pensar en nada más que en la novela en que estoy trabajando. Si todo me sale bien hasta el final cuento poder terminarla en los primeros días de enero. Luego tendré que revisar las pruebas, luego tendré que hacer los viajes de 'promoción', y entonces quedaré más o menos libre. Mi idea es que Don Giovanni, al contrario de lo que siempre se dice, no es un seductor, sino más bien un permanente seducido. La simple presencia de una mujer le perturba. Pero esto no es lo importante. Lo importante es la dignidad de quien es capaz de decir NO cuando no sólo su vida sino la salvación de su alma se encuentran en peligro. Es cierto que Don Giovanni es un débil con las mujeres, pero lo 'compensa' bien con su fortaleza ética en el momento en que es tentado por la facilidad hipócrita del perdón. Tenemos delante una paradoja: Don Giovanni, el*

123

sujeto inmoral por excelencia, es un hombre fiel a su propia responsabilidad ética. Eso es lo que me gustaría que sobresaliera en el texto. (N. E.)

5. Em francês, no original: "*Je viens de terminer finalement mon* Essai sur la lucidité *et pour le faire il m'a fallu fermer toutes les portes qui donnent au monde extérieur. Maintenant me voilà libéré pour te dire que me ferais charge volontiers d'un texte sur la mort de Don Giovanni (nous avions déjà une mort de Lazare...) au sujet duquel l'idée conductrice n'est pas encore très claire dans ma tête, mais ça viendra*". (N. E.)

6. Em francês, no original: "*Tu seras d'accord avec moi sur l'impossibilité d'écrire quelque chose de nouveau à propos de Don Giovanni. Est-ce qu'il y aura encore lieu pour une approche qui, sans tourner le dos complètement aux expectatives "légitimes" du spectateur qui connait l'histoire, soit capable de secouer le déjà vu? De le secouer au moins un petit peu?*

Tu m'as dit que tu avais besoin pour notre opéra des rôles suivants: Don Giovanni, le Commandeur, Leporello et aussi un Choeur. Pour faire quoi? Voilà le gros problème. Le fait que ces personnages soient les mêmes de la scène finale de Lorenzo da Ponte obligerait à gloser encore une fois (hélas, à un niveau très inférieur...) la chute et la condamnation de Don Giovanni aux enfers.

Mon idée est un peu plus complexe. Il y aura un "Chœur" mais il se trouvera réduit à Dona Anna, Dona Elvira, Don Ottavio et Masetto. Le Commendatore sera là, Leporello aussi. Que veulent-t-ils? La seule manière de "vaincre" Don Giovanni c'est de nier, contre toute vérité, ses victoires amoureuses: Don Giovanni est un menteur, il n'a pas séduit une seule femme dans toute sa vie. Et quand le pauvre Don Giovanni, pour se défendre, pour se justifier, ordonne à Leporello d'exhiber le fameux catalogue, on verra que toutes ses feuilles sont devenues blanches... Voilà donc notre Don Giovanni vaincu, humilié, méprisé. Le sarcasme tombe sur lui comme une masse, les bien-pensants ont triomphé. Mais...

Mais il y a quelqu'un qui arrive. C'est Zerlina, la jeune fille paysanne que Don Giovanni n'a pas eu le temps de séduire, elle vient pour remettre les choses de la vie à sa place, par sa propre volonté elle sera la séductrice... Ils se couchent, ils vont faire l'amour. La statue du Commendatore tombe en morceaux. Rideau.

Qu'en penses tu? Crois-tu qu'on puisse travailler dans cette direction?" (N. E.)

7. Pierluigi Petrobelli, "Una lettura implacabile del gioco della vita", in *Un ballo in maschera*. Catania: Teatro Bellini, Temporada Lírica 1994-1995, programa, p. 17.

8. Já no *Gargantua* Corghi pôs em prática uma abordagem semelhante ao da música do passado: a ópera é toda construída com base em operações carnavalescas do "mundo às avessas", similares às do romance de Rabelais e realizadas através de uma sarcástica e dessacralizante "reviravolta" dos mais austeros processos da tradição culta européia. Assim, todo o patrimônio musical integrado pelo compositor em *Gargantua* é "desconsagrado" e, simultaneamente, libertado dos ônus da elevação e da seriedade.

9. Cf. Carl Dahlhaus, "Il teatro epico di Igor Stravinskij", in Gianfranco Vinay (ed.), *Stravinskij*. Bologna: Il Mulino, 1992, pp. 81-114. A noção de "teatro épico" é empregada por Dahlhaus para definir a experiência teatral de Stravinsky, mas pode ser utilizada também para explicar outras orientações dramatúrgicas do século xx.

10. Id., ibid., p. 93.

11. Em francês no original: "*noms du catalogue de Leporello* [...] *disparaissent tout simplement, sans intervention de personne. Pour être plus précis, ils ne disparaissent pas, jamais ils ont été écrits. Tout est illusion. Je crois que c'est possible de faire un Don Giovanni un peu borgien, un peu kafkien...*" (N. E.)

12. Em português no original. (N. E.)

13. Em português no original. (N. E.)

14. "Introduzione", in Lorenzo Bianconi (ed.), *La drammaturgia musicale*. Bologna: Il Mulino, 1986, p. 26.

15. Em francês no original: "un peu plus long que j'avais prévu, mais qui, si je ne trompe pas, fonctionne assez bien". (N. E.)

16. Em português no original. (N. E.)

17. Assim Corghi define na partitura de *Blimunda* o "espaço imaginário", que se justapõe ao "espaço real", coincidente com o espaço cênico tradicional do teatro de ópera, e se entrecruza com um espaço puramente "acústico". Enquanto no "espaço real" se desenrolam os eventos representados, o "espaço acústico" e o "imaginário" acolhem os sentimentos e os pensamentos que se manifestam nas personagens, fazendo assim reverberar sobre a dimensão da realidade cênica uma outra dimensão, onírica e fantástica.

18. Em francês no original: "*Je travaille maintenant dans la Scène 4, que j'espère terminer demain. Ton courrier d'aujourd'hui m'a produit une certaine perplexité. C'est le fait de que tu parles du Commandeur comme s'il était le choeur, quand il est un vrai personnage jusqu'à la fin de la comédie. Je commence à penser que mon texte ne "collera" pas à ce que tu as en vue. Il faut que Rita Desti avance vite dans la traduction (ce n'est pas long, ce n'est pas compliqué). Tu n'as que le Prologue, et le Prologue c'est rien à côté de tout ce que vient après. Mon texte est une histoire où les personnages*

vivent leurs conflits e leurs contradictions. Est-ce que tout cela sera encore là quand tu termineras ton travail? Je comprends bien que le texte existe pour servir la musique, mais il ne doit pas être réduit à un prétexte. Il faut que tu puisses lire toute l'histoire avec urgence, sinon on risquera de tomber dans une situation insoutenable où il y aura deux récits (le musical et le littéraire) que n'auront rien à voir un avec l'autre. Je l'avoue, je suis très inquiet". (N. E.)

19. O nascimento do mito de Don Juan remonta a uma *piéce* teatral escrita em 1630, o *Burlador de Sevilla y convidado de piedra*. Oculto sob o pseudônimo de Tirso de Molina, o autor era o clérigo espanhol Gabriel Telléz, que nas suas obras dramáticas buscava pregar em conformidade com o espírito da Contra-Reforma.

20. Cf. Mikhail Bakhtin, *L'opera di Rabelais e la cultura popolare*. Turim, Einaudi, 1979, p. 47.

21. Em francês no original: *"Tu m'as tranquilisé, je te remercie infiniment"*. (N. E.)

22. Em francês no original: *"J'ai travaillé dans la joie. C'est joli, ça"*. (N. E.)

23. Em francês no original: *"Victoire, victoire, c'est finie l'histoire!"*. (N. E.)

24. Em francês no original: *"Tu as rompu l'aria du 'catalogue' et cela m'a paru une très bonne idée"*. (N. E.)

25. Cf. M. Bakhtin, op. cit., p. 18.

26. Em francês no original: *"Le prologue et la scène première me semblent excellentes. L'essentiel de mes propositions concernant les situations et les dialogues est là, l'action reste fluide, donc ma satisfaction est complète"*. (N. E.)

27. Em francês no original: *"l'essentiel de mes propositions concernant les situations et les dialogues"*. (N. E.)

28. Em francês no original: *"Au sujet du titre, si tu ne vois pas quelque obstacle insurmontable, ma préférence va au 'modèle' Blimunda, où le libretto a parut avec double auteur, c'est-à dire, toi et moi. Ta générosité a voulu, alors, m'accorder une place à ton côté, toi qui avais fait tout le travail... Je pense que ma participation à la tâche que nous occupe maintenant (notre "dissoluto") justifie, avec beaucoup plus de motifs, la permanence du couple d'auteurs du libretto. En toute franchise, comme d'habitude, voilà mon opinion"*. (N. E.)

29. Em francês no original: *"C'est bon et c'est mauvais. Bon parce que cela fonctionnerais parfaitement dans la logique de ce qui apparaît comme ton interprétation du texte, mauvais parce que mon intention à l'heure d'écrire était tout à fait différente.*

Selon toi, à la fin, Masetto va écrire dans le 'nouveau catalogue' le nom de Zerlina. Mais tu as oublié que ce que appelles le 'nouveau catalogue', c'est-à-dire le livre de pages blanches, a été brûlé [...]. Cet 'auto da fé' signifie que pour Don Giovanni une autre vie va commencer. C'est fini les catalogues avec des noms de femmes. Au lieu de Don Giovanni va naître Giovanni, un autre homme que l'amour a pardonné. Et c'est pour ça que le 'dissoluto' est devenu 'assolto'. Selon ton interprétation tout va continuer comme avant. Je ne peux pas être d'accord. Nous avons décidé de créer un nouveau Don Giovanni, non une réédition du Don Giovanni de tout le monde". (N. E.)

30. Em francês no original: *"Je suis d'accord, sans aucune réserve, avec le nouveau finale. Et je crois même que l'acte de faire brûler le catalogue à la fin de la fonction rendra plus clair le changement psychologique de Don Giovanni. Bien sûr je ne parie pas que ce changement-là soit pour de bon... À mon avis l'ambiguïté pourrait être sauvée si tu ajoutais à la phrase finale du coro maschile une interrogation, quelque chose comme ça: "Par combien de temps?" C'est vrai que je tiens beaucoup à l'idée de que Don Giovanni a vécu une expérience nouvelle pour lui, mais nous savons bien à quel point la chair est faible... Quant à l'organisation finale de la scène, un seul mot: parfait".* (N. E.)

31. Em francês no original: *"À mon avis, cette lettre-là ferait tomber la tension dramatique. Le spectateur s'attend à une 'grande scène' où les deux amazones, Dona Anna et Dona Elvira, ayant placé entre parenthèses le fait de leur 'rivalité' (Dona Anna ne supporterais pas l'idée de que Dona Elvira finissait pour accaparer Don Giovanni...), se mettent d'accord pour le détruire. Dans mon texte les femmes, toutes les deux (pas une femme et une lettre), sont comme des harpies s'acharnant sur le corps (ou l'esprit) sanglant du pauvre diable. Il faut que les femmes, les deux, soient-là pour que la situation puisse arriver à une espèce de mise à mort.*

D'autre part, le spectateur sait que Dona Elvira est-là, donc son absence blesserait la logique dramatique. Si on se propose l'éxécution d'un assassinat moral, les bourreaux doivent être présents, et les bourreaux, mon cher Azio, sont deux, Dona Anna et Dona Elvira, les soeurs jumelles unies par une volonté de vengeance. Ce qu'elles ne savent pas c'est que cette vengeance va tomber en miettes par la main de Zerlina. Ce n'est pas Don Giovanni qui à la fin triomphe sur Dona Anna et Dona Elvira, c'est Zerlina... Zerlina, dans ma conception du personnage, n'est pas une jeune fille étourdie qui a décidé de perdre comme ça sa virginité parce que Masetto est un imbécile. À un niveau tout à fait différent, je crois même que Zerlina est un peu Divara, un peu Blimunda". (N. E.)

ESTA OBRA FOI COMPOSTA EM TIMES PELA SPRESS E IMPRESSA
PELA RR DONNELLEY MOORE EM OFSETE SOBRE PAPEL PÓLEN BOLD DA
SUZANO BAHIA SUL PARA A EDITORA SCHWARCZ EM MARÇO DE 2005